베이든 파웰

ROBERT BADEN-POWELL

소년·소녀에게 심신
단련과 협동심 등을
길러 주는 스카우트
운동의 창시자

중앙교육연구원(주)

세계 위인전 (전 36 권)

1 간디(Mahatma Gandhi)
2 에디슨(Thomas Alva Edison)
3 나이팅게일(Florence Nightingale)
4 플레밍(Alexander Fleming)
5 다라이라마(The Dalailama)
6 다윈(Charles Darwin)
7 피터 스콧(Sir Peter Scott)
8 다미앙(Father Damien)
9 마리 퀴리(Marie Curie)
10 테레사(Mother Teresa)
11 마르코니(Guglielmo Marconi)
12 투투(Desmond Tutu)
13 마틴 루터 킹(Martin Luther King)
14 겔도프(Bob Geldof)
15 슈바이처(Albert Schweitzer)
16 브라유(Louis Braille)
17 발렌베르크(Raoul Wallenberg)
18 뒤낭(Henry Dunant)
19 파스퇴르(Louis Pasteur)
20 바웬사(Lech Walesa)
21 고르바초프(Mikhail Gorbachyov)
22 뉴턴(Isaac Newton)
23 몬테소리(Maria Montessori)
24 베넨슨(Peter Benenson)
25 알렉산더 벨(Alexander Graham Bell)
26 구텐베르크(Johannes Gutenberg)
27 미드(Margaret Mead)
28 채플린(Charlie Chaplin)
29 아인슈타인(Albert Einstein)
30 링컨(Abraham Lincoln)
31 만델라(Nelson Mandela)
32 엘리노 루스벨트(Eleanor Roosevelt)
33 갈릴레이(Galileo Galilei)
34 베이든 파웰(Robert Baden-Powell)
35 와트(James Watt)
36 라이트 형제(The Wright Brothers)

＊본 세계 위인전은 1차분(1~20)과 2차분(21~36)으로 나뉘어 제작되었습니다.

머 리 말

영국의 엑슬리(EXLEY) 출판사가 발행한 이 위인전 시리즈는 어린이뿐 아니라 교육계와 출판계로부터 아낌없는 찬사를 받고 있습니다. 이제 세계 8개국에서 번역 출판되고 있는 이 위인전을 우리 나라에서는 저희 중앙교육연구원(주)이 엑슬리 사와 독점 계약을 맺고 출판하게 되었습니다.

지금까지 나온 위인 전기들은 인물의 업적을 과장하거나 무조건 미화시켜 신화적 인물로 내세웠기 때문에 독자들로부터 호응을 얻지 못했습니다.

그러나 중앙 위인전은 그 인물이 살던 시대의 상황이나 역사적 배경 등을 사실 그대로 묘사했습니다. 또 위대한 발명이나 발견, 그리고 새로운 사상 그 자체만을 나열하는 데 그치지 않고 우리의 일상 생활에 미친 영향에 대해서도 깊이 있게 서술했습니다.

또한 근대 인물과 현존해 있는 인물들을 다루어 현실에 대한 인식을 공감할 수 있도록 배려했습니다. 그리고 과학자, 인도주의자, 평화주의자, 자연 보호주의자 등 여러 분야의 인물들을 다루어 편견 없는 감정적 교훈과 더불어 과학적 사고 능력도 높일 수 있도록 꾸몄습니다.

선명한 컬러 사진과 도표, 지도는 물론 귀한 자료들을 충분히 실어 이해를 도왔습니다. 또 그 인물의 연설 내용이나 중요한 주장을 담은 어록과, 그 분야 권위자의 비평도 함께 실었습니다. 문장도 간결하고 생동감이 넘치도록 다듬어 국민 학생에서부터 성인에 이르기까지 누구나 쉽게 읽을 수 있도록 엮었습니다.

교육학자 호머 레인은 '감정이 자유로우면 지성은 스스로 발달한다.'고 했습니다. 호머 레인의 말처럼 내일의 희망인 우리 어린이들이 중앙 위인전을 통해 위인들의 감성은 물론 꿈과 용기를 이어받아 보다 나은 일생을 설계하게 되기를 바랍니다.

로버트 베이든 파웰이 소년
시절 뛰놀았던 코프스 지역의
광경. 이 때 이미 그는 그림에
대단한 자질이 있었다. 이
그림은 그가 차터하우스의 학생
시절에 그린 것으로 학교의
건물이 그림 뒤의 배경으로
보인다.

"나는 토끼들을 자세히
관찰하려고 포복하곤 했었다."고
베이든 파웰은 그의 학창
시절을 회상했다. 베이든 파웰의
야외 탐험과 모험은 초창기
스카우트 훈련의 본질이었으며,
그 이후에도 계속되고 있다.

숲 속의 파수꾼

　빽빽하게 엉킨 브라이어나무 아래에서 열세 살 난 빨강 머리 소년이 웅크리고 있었다. 그는 근처 나무 뒤에 숨어서 토끼 한 마리를 지켜 보고 있었다. 그 토끼는 숲의 이상한 소리에 귀를 쫑긋했다. 갑자기 토끼는 벌떡 일어나 주위를 둘러보고 숲 속으로 사라졌다. 무슨 소리를 들었을까? 거칠은 인디언들임에 틀림없으리라.

　그는 아주 조용히 은신처에서 나와 살며시 나뭇잎들로 자기 몸을 가리며 너도밤나무 위로 기어서 올라갔다. 보통 사람의 눈대중으로 거의 발견할 수 없을 만큼 나뭇잎이 무성한 나무 위에 숨었으니 이제 얼마나 안전한가! 토끼를 깜짝 놀라게 한 잔가지 흔들거리는 소리가 더욱 분명하게 들렸다. 적들은 분명히 다가오고 있었고 도망자는 숨을 죽이고 있었다.

　"어린 녀석들 중 하나가 여기로 온 것임에 틀림없어." 한 병사가 다른 병사에게 말했다. "내가 그 놈을 잡는다면 그 놈을 혼내 줄 거야." "그래, 여기는 없는 것 같아."

　"돌아가자, 그렇지 않으면 오후 수업에 늦을 거야." 옆의 동료 병사가 대꾸했다.

　앞의 이야기는 실제가 아니라 장난을 치는 광경이었으며, 여기서 나오는 '거칠은 인디언들'은 영국의 한 기숙 학교인 차터하우스의 두 선생이었다. 그들(인디언)이 들판을 가로질러 돌아가자 다람쥐처럼 나무에 올라가 숨었던 소년은 나무에서 내려와 그들 뒤를 따라갈 채비를 차렸다. 용감한 인디언 대원인 그 소년이 아마 키 작은 관목 아래로 아주 민첩하게 기어다녀서 그 위험한 적들이 그를 발견하지 못했었으리라. 용감하고 민첩하며 재치가 있는 이 소년이 바로 베이든 파웰이었다.

> "웃음과 벌로써 어떠한 어려움도 헤쳐 나갈 수 있다. 그러나 진정한 힘과 용기를 갖게 하는 것은 웃음이다."
> 　　　로버트 베이든 파웰

1870년, 대영 제국은 빅토리아 여왕이 통치하고 있었고, 13세의 로버트 베이든 파월(친구들에게는 '비피(B-P)'라고 불려짐)은 서리에 있는 차터하우스에서 교육을 받고 있었다. 그러나 그는 교실에서 하는 학과 수업은 관심조차 없었다. "당신의 아들은 성적표에 나타난 것보다는 더 능력이 뛰어납니다."라고 교장은 말했으나, 담임 선생은 그의 어머니에게 "수업에 전혀 흥미를 느끼지 못하고, 관심도 전혀 없으며, 수학은 완전히 포기해 버렸습니다."라고 말했다. 이런 이야기를 듣고 어머니는 무척 당황했다.

비피가 학교에서 배운 것

비피의 실제적인 수업이란 동물들과 같이 놀고, 새를 관찰하며 모험과 탐험 이야기를 흥내내기 위해 숲 속에서 노는 것이었다. 성장한 후에 그는 어릴 적 자신을 다음과 같이 이야기했다.

차터하우스의 학생들이 1872년 새로 지어진 학교 건물 앞에서 사진 촬영을 위해 포즈를 취하고 있다. 오른쪽 끝에 있는 베이든 파월은 이 학교에 깊은 정을 가지고 있다. '배짱 있는 놈'이란 별명을 가진 그는 졸업 후에도 자주 방문했다.

"나 자신을 산골 사람, 덫 놓는 자, 그리고 인디언 스카우트라고 내세울 수 있었던 것은 바로 여기서부터 시작되었다. 나는 동물들을 찾기 위해 발자국이나 흔적들을 세밀하게 관찰하였다. 그리고 토끼, 다람쥐, 쥐, 새 들을 아주 가까이서 관찰하기 위해 아무데나 엎드리곤 했다. 내가 코프스에서 배운 것은 준비와 추적이었다. 코프스에서 얻은 지식은 몸과 마음이 모두 건강해야 한다는 것이었다. 그 때 그 경험은 어린 나에게 정신 세계를 발견하도록 도와 주었다."

비피는 특히 영국의 상류 계급 출신들이 그들 마음 속에 가지고 있는 신념에 대해 이야기를 별로 하지 않는 그런 시대에 살았다. 그는 일생을 인간과 자연 세계의 하나 됨에 대한 연구에 몰두했으며, 남다른 정열로 하나하나 의문을 풀어 나갔다. 그가 자연에 대한 이해가 부족한 젊은 사람들에게 자연을 가르치는 것으로 그의 일생을 바칠 수 있었던 것은 이러한 꿈과 경험을 통해서였다.

그는 이런 자연에 대한 이해는 야외에서의 활동을 통해서만 배울 수 있다는 것을 깨달았다.

단호한 어머니

비피의 아버지는 교수였기 때문에 아버지의 친구 중에는 성직자, 생물학자, 물리학자, 그리고 식물학자들이 많았다. 그는 부인보다 20세나 많았고, 결혼할 당시 벌써 네 자녀를 둔 홀아비였었다. 빅토리아 시대의 전형적인 대가족이었다.

1860년 아버지가 사망할 당시 7명의 아이들이 더 있었는데 워링턴(13세), 조지(12세), 아우구스터스(11세), 프란시스(9세), 로버트(비피, 3세), 아그네스(외동딸, 18개월), 그리고 베이든(3주) 등 3명의 자녀들은 슬프게도 아주 어렸고, 아우구스터스는 13세에 죽었다.

빅토리아 시대 때의 다른 가정보다는 윤택했지만, 베이든 파웰 가족들은 그렇게 넉넉하지 않았고 홀로 된 어머니는 자녀들의 교육을 위해 자신이 힘써야 한다고 굳게 믿고 있었다.

그리고 어머니 헨리에타는 어릴 적부터 근면과

"모험에 대한 생각으로 흥분한 그 소년은 공부할 시간이 거의 없었다. 차터하우스의 교사가 평가한 것으로는 매우 나쁜 것이었지만, 아이들이 평가했다면 매우 좋게 평가했을 것이다. 그는 프랑스 어 시간에 졸았으며, 과학 시간에는 분위기가 산만했으며, 수학 과목은 포기해야 했으며, 교실에 앉아 있는 것조차 싫어했기 때문에 학과 공부에는 전혀 관심이 없는 것 같았다."
팀 질의 전기《베이든 파웰》중에서

베이든 파웰이 다닌
차터하우스의 최근의 모습.

빅토리아 시대에는 근면, 정직,
절약을 최고의 미덕으로 여겼다.
그런 사회적 환경과 가정
교육은 19세기의 아이들에게
많은 영향을 미쳤다. 이
전형적인 가족 분위기에서 보는
것처럼 성취와 성공이 관심
대상이었다. 베이든 파웰의
가족도 마찬가지였다.

8

검소함을 배운 훌륭한 사람이었다. 그녀는 자녀들에게 열심히 공부해야 된다는 것을 가르쳤다. 그래서 자녀들은 또한 남을 도와 주고, 나누어 갖는 아름다움에 대해서도 배우게 되었다. 아이들은 돈이나 혹은 개인적인 학용품을 자기만 욕심을 내지 〔...〕든 가족들이 얼마를 꺼내 간다는 것을 〔...〕한 만큼의 돈을 꺼내어 가도록 하는 〔...〕를 만들어 사용했다.

〔...〕동이 뛰어난 소년

〔...〕게 대가족이 화목하게 사는 가정에서 성장〔...〕 어린 비피는 머천트 서비스에서 선원이 되기〔...〕 교육을 받고 있던 형 워링턴을 아주 존경하〔...〕 그도 나중에 형처럼 되려고 생각했다. 또 아그〔...〕와 갓난아기인 베이든은 비피를 좋아하였다.

〔...〕 동생들에게 쓸모없는 잡동사니를 가지고 〔...〕감을 만들어 주었는데, 런던의 집 근처의 공원〔...〕 가장 높이 하늘을 날으는 연도 비피가 동생〔...〕게 만들어 준 것이었다. 비피는 어린 동생들과 노는 것이 행복했으나 또한 혼자서 책을 읽는 것도 좋아했다.

그는 여러 가지 악기를 연주할 수 있었고, 또한 그림그리기와 스케치 등을 좋아했다. 그의 부모는 아주 재능이 뛰어난 예술가였는데, 어머니인 헨리에타는 비피가 연필과 지우개를 사용해 스케치하는 것을 보고 놀랄 정도였다.

이 때 벌써 비피의 또 다른 훌륭한 자질도 나타나기 시작했다. 확실히 그는 연기자, 가수, 그리고 희극 배우로서의 뛰어난 잠재력을 가졌다.

그는 직접 코미디 대본도 써서 그 대본을 거의 다 외우고 있었고, 그 당시 유행하는 노래도 대부분 다 알고 있었다. 자상하고 지혜로운 어머니는 그의 재능을 어떻게 하면 잘 개발할 수 있을까 생각하고 있었다.

그는 자라면서 그의 형인 워링턴, 조지, 프랭크와 집 밖에서 휴일을 보냈다. 그들은 자전거 여행을 하고, 카누를 타고, 워링턴이 아주 멋있게 만든 요트를 타며 놀았다. 배 안에서 나이가 어린 꾀많

1874년의 차터하우스의 사격 선수들. 왼쪽에서 세 번째가 베이든 파월. 그는 3년 연속 이 팀의 열성적 회원이었다. 군대에서 그는 사격 강사가 되었고, 나중에 학교의 체육 시간에 사격을 포함시킬 것을 주장했었다.

졸업할 당시의 베이든 파월.
교장은 언젠가 사람들로부터
"당신의 학교에 다니는
학생들이 신사들의
아이들이라는 사실을 알고
있습니까?"라는 질문을 받았을
때 "그들은 항상 신사가
되어 떠난다."고 자신 있게
말했다.

은 비피는 선실 급사가 되어 요리와 설거지를 도
맡아 하다시피 했다. 그의 요리 솜씨는 형편 없었
으나 "네가 만든 그 맛없는 것을 먹는 프랭크의
모습을 보아라!"하며 워링턴이 비피가 탄 땅콩
수프를 비피에게 먹어치우라고 몰아세운 후부터
그의 요리 솜씨는 훨씬 좋아졌다.

비피의 결정

물론 비피는 가족의 전통을 따라 옥스퍼드 대학
에 진학해야만 했다. 그러나 그가 그 곳에 진학하
기를 거절하자 어머니는 많은 야단을 쳤다.
19세인 그는 이런 저런 생각으로 고민하고 있던

중 장교를 모집한다는 신문 광고를 보게 되었다. 그래서 비피는 보병이나 기병대의 장교가 되어서 인도에서 복무하겠다는 꿈을 가지고 시험에 도전하기로 했다. 수학, 영어, 프랑스 어, 지리학, 그림 등에 관한 책들을 아주 흥미 있게 열심히 읽었다. 무더운 7월이었으나 12일 동안에 걸쳐 비피는 시험 문제들과 씨름을 했다.

결과가 발표되었을 때 718명의 후보생들 중 그는 5등이었다. 그는 아주 기뻤고, 그의 어머니는 신이 나서 덩실덩실 춤을 추었다. 또 옥스퍼드 대학교의 학장도 어머니에게 뛰어난 재질을 가진 아들이 장교가 된 것이 오히려 잘된 일이라고 칭찬을 해 주었다.

1876년 10월 30일, 인도로 기병대 장교가 되어 떠나는 비피를 배웅하기 위해 가족들이 모두 모여 비피의 건강을 빌어 주었다.

중위 베이든 파웰

이제 베이든 파웰의 위대한 삶은 시작되었다. 그는 30년 이상이나 계속해서 군인으로 살았다. 이 기간 동안 그는 나중에 소년단 운동을 일으키게 하는 많은 아이디어들을 개발해 냈다.

베이든 파웰은 인도에서 처음의 8년은 초급 장교로서 보냈다. 이 기간 동안 실질적인 전투는 없었고, 유격대의 적이라고 한다면 질병과 권태로움이었다. 젊은 장교들이 즐기는 운동 중에서 베이든 파웰은 특히 폴로 경기에서 두각을 나타냈다. 그는 다른 장교들보다도 착실히 저축하여 마침내는 헤라클레스라는 조랑말을 샀다. 헤라클레스는 뼈대가 굵고 못생겼으나, 비피가 훈련을 시키자 곧 뛰어난 폴로 경기용 말이 되었다.

스포츠뿐만 아니라 연극도 고향과 멀리 떨어진 인도에 배치된 군인들에게는 열정의 대상이었다. 베이든 파웰은 재능을 인정받아 노래도 하고 연기도 하고 코미디도 하며 풍경화도 그렸다.

베이든 파웰은 장교로서 훈련에 있어서도 남보다 뛰어났다. 1878년 6월, 21세의 나이로 그는 마지막 유격대 시험에서 1등으로 합격했고, 중위로

"그는 자기 주위의 누구보다도 더 재능이 뛰어나고 능력 있는 것처럼 행동했다. 그리하여 자신의 강한 자신감을 자랑하려고 하였다."

팀 질의 전기《베이든 파웰》중에서

11

진급하게 되었다.

중위가 된 얼마 후 불행하게도 그는 병이 들어 인도에서 생활한 지 꼭 2년 만에 휴가를 받아서 영국에 되돌아오게 되었다.

아프가니스탄

1880년 10월, 베이든 파월 중위는 이제 23세가 되었고, 건강도 회복되어 다시 부대에 복귀했다. 그의 연대는 인도의 북서쪽에 있는 아프가니스탄으로 이동 배치되어 전쟁에 참가하게 되었다.

이 곳에서 그의 상관이었던 베이커 러셀 대령은 베이든 파월을 다음과 같이 기록했다. '그는 큰 인물이며, 빈틈없는 정확한 사람이었다. 그의 가벼운 농담일지라도 그것을 두 번 생각해 봐야 할 정도였다.' 러셀 대령의 복무 태도는 아주 특이했다. 그는 결코 교본에 따라 병사들을 지도를 하는 것이 아니라, 자기의 생각대로 전술과 훈련을 교육했다. 베이든 파월은 교련과 행렬 연습들이 별로 유익하지 않다고 항상 느끼고 있었는데, 러셀도 그의 의견에 동의하는 사람이었다.

위험한 국경을 순찰하는 영국 기병대 부대. 아프리카와 인도에 파견되어 있을 때 베이든 파월은 신병들에 대한 특별 훈련을 고안했다. 이 방법이 나중에 스카우트 활동의 기본이 되었다.

순찰

러셀 대령은 자기 부하들의 발의권과 자립심을 키워 주려고 노력했다. 러셀 대령은 베이든 파월에게 최근 전투가 벌어졌던 지역의 험한 지형을 탐사하는 수색조에 가서 일을 하라는 명령을 내렸다.

군사적 전략을 위해 이용 가치가 있는 정보를 발견하기 위해서는 예리한 눈과 판단력, 넓고 험한 지역에서 활동할 수 있는 강인한 체력이 있어야 그 일을 제대로 수행할 수 있었다. 베이든 파월의 지도를 그리는 솜씨는 가히 일품이었고, 전투 지역으로의 3일 간의 지형 탐사를 끝내고 돌아왔을 때 베이든 파월의 능력에 대해 누구나 찬사를 보냈다. 수색 기간 중 그는 여러 날을 보초를 서느라 말 등에 탄 채 밤을 지새워야 했다. 그 일을 군인들은 '베데테'라고 불렀다.

그의 첫번째 책이 1884년에 출간되었다. 그 책 제목은 《르네상스와 소년단 활동》이었는데, 이 책의 내용은 적들의 움직임과 거점을 조사하기 위한 탐험에 대한 설명과 거친 시골길의 탐험과 지도 읽기 등에 관한 것들로 되어 있었다.

1884년, 그는 27세의 거칠고 잘 길들여진 대위가 되어 인도의 봄베이를 떠났다.

그는 절제력이 있는 조용한 사람이었고, 모든 중요한 결정은 부하들과 상의하여 결정하였으므로 부하들로부터 존경과 사랑을 한몸에 받는 인격적인 장교였다.

사랑하는 아프리카

그러나 오랜 군대 생활 중 베이든 파웰에게 있어서 가장 인상적인 곳은 아프리카였다.

그는 그 대륙을 사랑했고, 순박한 원주민들을 좋아했다. 초창기 군대 시절부터 그는 어디를 가든지 그 지역의 언어를 열심히 공부했다. 그래서 그는 아프리카의 여러 국가가 어떠한 상태인지를 알게 되었다. 그는 동맹 관계든지 적대 관계든지 상관

대열을 편성하고 있는 줄루 족 병사들. 베이든 파웰은 이 광경을 결코 잊을 수 없었다. 이 용사들이 부르는 노래의 독특한 리듬에 그는 큰 감동을 받았다. 몇 년 후에, 줄루 족의 용맹과 규율 등은 캠프파이어 때의 합창과 스카우트 운동의 의식이 되었다.

13

없이 그들을 존경했다.

아프리카에서 가장 훌륭한 군대를 가진 국가는 줄루였다. 베이든 파웰은 줄루 군대(줄루 임피)가 너무도 인상적이어서 결코 잊을 수가 없었다. 그는 그 때를 다음과 같이 회상했다.

"나는 처음에 교회의 오르간 소리를 들었다. 우리가 언덕을 넘어 꼭대기에 올랐을 때 언덕 아래에서 멋진 국가를 부르며 3열 종대로 늘어선 병사들이 다가오는 것을 보았다. 때때로 한 명이 전체 군대(임피)의 우렁찬 소리에 화답하듯이 독창으로 읊었으며, 임피의 우렁찬 노랫소리는 굵고 낮은 음색과 높은 음색이 조화를 잘 이루었다."

결코 잠자지 않는 늑대

베이든 파웰의 줄루 족 친구들은 그의 용기와 민첩함에 크게 감동받았다. 그는 그들이 지어 준 별명을 자랑스럽게 여겼다. 예를 들면, '총을 쏘려

챙이 넓은 모자와 인상적인 콧수염으로 상징되는 용맹스런 군인인 파웰. 이 초상화는 남아프리카에서 베이든 파웰 대령의 공적을 기념하기 위해 출판된 피아노 악보에 실린 것이다.

14

고 엎드려 있는 사람'——므라라판지, 이 이름은
또한 '표적을 맞히기 이전에 조심스럽게 그 계획을
더듬어 보는 자'라는 의미도 지닌다. 칸탄케——'큰
모자를 쓴 사나이'라는 뜻인데, 붉은 머리를 가진
많은 사람들처럼 베이든 파웰의 피부는 태양에 잘
탔다. 1884년과 그 이듬해에 걸친 남아프리카에서
의 근무 기간 동안 그는 챙이 넓은 모자를 쓰고
다녔다. 그래서 이 모자는 그의 심벌이었다.

그러나 그가 가장 자랑스럽게 여겼던 이름은 '임
페사'였는데 그 뜻은 '결코 잠자지 않는 늑대'라는
것이다. 베이든 파웰은 이것을 여태껏 그가 받은
최고의 칭찬이라고 생각했다.

연대 지휘자로서 베이든 파웰은 부하의 훈련을
책임지고 있어서 그가 늘 생각해 온 전술이나 다
른 모든 것들을 실제로 적용할 수 있었다. 좋은 기
본적인 군사 훈련을 받고 영국에서 온 신입 지원
병들을 그는 독특하게 훈련을 시켰다. 그리고 베이
든 파웰은 '개성과 개인적인 능력이 없으면 임기
응변하는 힘, 발의권과 모험심 등이 결코 생겨나지
않는다.'고 생각했다.

베이든 파웰은 엄격하고 형식적인 군사 교육은
이러한 자질 있는 군인을 키우는 데에는 효과가
전혀 없다고 확신했다. 그래서 군인을 군인답게 하
기 위해 그의 과거 경험들을 바탕으로 훈련시키려
고 노력했다.

새로운 훈련법

베이든 파웰의 훈련법에서 가장 혁신적인 점은
훈련하는 병사가 그 훈련을 즐겨야 한다는 것이었
다. 그는 신입 지원병들을 소집단으로 나누고, 징
찰과 탐사에 대해 그의 경험담을 농담과 재미있는
이야기를 섞어서 신나는 강의를 했다.

그리고 병사들은 관찰 연습에 있어서 하나씩 그
리고 둘씩 짝을 지어 밖으로 나가서 이론을 직접
실습해 보았다.

모든 시험을 합격한 자는 '스카우트'라는 칭호를
받고, 아주 멋진 완장을 받았다. 그 특별한 완장은
'플레르드리스' 혹은 '북극점'이라는 것이었다. 그

시험에 합격한 우수한
병사들에게 준 배지. 이 유명한
플레르드리스 마크는 오늘날
범세계적인 스카우트 운동에
대한 베이든 파웰 대령의
고유의 교육 이념을 나타내는
영원한 상징이 되었다.

15

완장의 그림이 지도나 나침반의 북쪽을 가리키는 무늬로 되어 있었기 때문이다.

나중에 스카우트 마크는 세계에서 가장 잘 알려진 상징물의 하나가 되었다. 베이든 파웰 대령의 《스카우트의 도움》이라는 책은 훈련과 야외 활동에 관해 이러한 생각들을 기록한 책이었다. 곧 이것은 베스트셀러가 되었다.

1899년 5월 인도에서 2년을 보낸 후, 비피는 휴가를 이용해서 고향에 왔다. 비피는 그 해 12월쯤 인도에 있는 그의 연대로 복귀할 계획이었다. 그러나 단지 2주일 후에 그는 다시 남아프리카로 보내졌다.

그 곳은 대영 제국의 영토였으나 네덜란드 이주민(보어 족)에 의해 위협을 받고 있어 전쟁이 불가피한 곳이었다.

베이든 파웰은 영국 군대가 누추하고 무더운 중에도 계속 훈련하고 있는 것을 보았다. 그는 행렬의 멋과 명령에 대한 무조건적인 복종이 군인에게 그렇게 중요하다고 생각하지 않았다.

16

마페킹

남아프리카에 도착한 후, 베이든 파웰은 전략적으로 위치가 좋은 마페킹이라는 마을을 본부로 삼았다. 마페킹 마을은 아주 조용한 곳이었으나 영국군과 거칠고 투쟁적인 기질의 보어 족간의 접경지대였다. 그래서 그 곳은 또한 영국군을 위한 주요 무기 공급 병참 기지로 적당했다.

콜로니 캠프가 있는 마페킹 마을은 몰로포 강 상류를 끼고 있을 뿐 어떤 종류의 방어책도 없었다. 그는 적의 포격으로부터의 보호를 위해 지하 대피소를 만들었다. 즉, 병사들은 서둘러 손으로 참호를 파고, 2륜차와 마차는 마을 진입로를 봉쇄하기 위해 사용되었다.

열차가 병사들의 호위를 받으면서 마페킹의 많은 여자와 아이들을 킴벌리 남쪽 안전한 마을로 옮겨 놓았다. 그 후 베이든 파웰은 변호사 사무실 위에 있는 본부에 앉아서 상황을 검토했다. 그는 다른 곳으로 대피하지 않고 남아 있는 마페킹 마을의 약 9천 명의 목숨이 위태롭다고 생각했다. 왜냐하면 제대로 장비를 갖추지 못한 영국군으로서는 보어 족과 상대가 되지 않았기 때문이다.

거칠은 보어 족은 어릴 때부터 말타는 법과 총쏘는 법을 익혔고, 마차들이 지나가는 험한 지형까지 배웠다. 미숙한 영국군은 그들의 상대가 되지 않았다. 베이든 파웰 대령은 뛰어난 적들을 결코 과소 평가하지 않았다. 보어 족들이 지형을 잘 알고 있는 광활한 땅에서 대적하는 것보다 마페킹 마을에서 방어하는 것이 더 낫다고 깨달았다.

포위 공격

전쟁 선포는 1899년 10월 11일에 했으나, 그 때까지 전쟁 준비는 거의 되지 않은 상태였다. 10월 13일 9천 명의 보어 족 군인들이 마페킹 마을을 에워쌌다. 마페킹에 포위 공격이 시작되었다.

3일 후, 포탄 공격을 받았다. 4시간 동안 계속된 포격으로 도로는 갈기갈기 찢어졌고, 마켓 광장은 파편으로 뒤범벅이 되었다.

그러나 베이든 파웰은 영국군 본부에 엉뚱한 전문을 보냈다. '괜찮습니다. 4시간 동안의 폭격 후 살해된 것은 개 한 마리뿐입니다.' 그는 위와 같은 내용의 전문을 마을 사람에게 전해 주었는데, 그가 행선지로 가는 동안에 보어 족 병사들이 그 전문을 보도록 의도적으로 길가에 하나 놓고 가라고 전령에게 일러 주었다. 베이든 파웰은 적군을 속이

17

마페킹의 역사를 말해 주는 사진. 그 때에는 흑백 사진밖에 없어서 손으로 색칠을 했다. 사진을 보면, 마페킹 마을의 철도 작업소에서 포위 공격을 방어하는 동안에 만들어 '늑대'라는 별명을 붙인 대포가 있는데 그 마을 어떤 대포보다 긴 사정 거리를 가졌다. 1900년 3월, 보어 족에 대항하여 '늑대'가 사용되었는데, 기록적인 거리를 내려고 무리하게 쏘다가 결국 폭발했다.

기 위해 계속적으로 위장 전술을 부렸다. 또 그 날 밤, 마페킹 마을을 방어하기 위한 경비병을 주위에 설치했다는 인상을 적군에게 주기 위해 두 사람이 서치라이트를 높이 들고 마을을 횡단했다.

조그마한 안도감

베이든 파웰은 포위 공격의 처음 몇 주 동안 마페킹 외곽에서 일어나고 있는 적군의 상황에 대해 아무것도 알 수 없었다. 소문에 근거하여 그가 받았던 보고는 신빙성이 없었다.

또 그가 엄격하게 배급을 주어도 식량이 부족했기 때문에 마을 사람들에게 과일과 채소를 재배하도록 명령했다.

베이든 파웰은 군인과 마을 사람들에겐 포위 공격의 긴장으로부터 안도감이 필요하다고 생각했다.

긴장을 풀어 주기 위해 매주 일요일마다 예배 후에 마을 사람들을 모두 모아서 스포츠, 아이들 재능 대회, 음악회, 인형극 등을 해서 긴장된 마음을 풀어 주었다. 긴장을 풀어 주기 위한 이 모든 것들은 베이든 파웰 대령의 머리에서 나온 생각이었다. 겉으로는 여유 있고 태연했지만 베이든 파웰 대령은 자기의 책임을 무겁게 느꼈다. 하지만 그는 자기가 결정하고 행하는 것들에 대해서는 항상 신념과 확신이 있었다.

야간에는 그의 아프리카 식 이름인 '임페사ー결코 잠자지 않는 늑대'처럼 지냈다. 밤이 되면 어둠을 뚫고 적군의 전선과 보어 족이 무엇을 하고 있는지 알아보기 위해 적군들 가까이까지 포복해 나갔다. 포위된 마을 안에서 살아가는 사람들 중 소년들은 큰 위험의 대상이었다. 소년들은 포위의 힘들고 처절한 상태를 벗어나려고 궁리하는 어른들

베이든 파웰 대령이 장교, 기술자들과 함께 제일 왼쪽에 서 있다.

19

의 회의에 막무가내로 끼여들었다.

　더욱이 위험스러운 것은 포탄을 피하기 위한 참호 속에서 뛰어다니며 놀았고, 포격이 끝났다는 표지판이 없는데도 은신처에서 몸을 숨기지 않고 뛰어다니기 일쑤였다. 또 폭탄에 맞으면 죽는다는 두려움도 없이 폭발된 폭탄의 파편을 장난감처럼 생각하며 서로 가지려고 경쟁했다.

　베이든 파웰 대령은 전쟁에서 승리하기 위해서는 소년들이 방해꾼이기보다는 협조자가 되어야 한다고 생각했다. 그래서 베이든 파웰은 참모인 세실 소령에게 9세 이상의 소년들을 모아 소년 사관 생도를 조직하라는 명령을 내렸다.

마페킹의 새로운 사관 부대

　세실 소령은 18세의 소년들부터 먼저 시작했는데, 그 무리들을 주임 상사 1명, 하사관 1명, 상병 2명, 병사(졸병) 14명으로 구성했다. 그리고 그들은 그들이 입을 카키색 군복을 군대 매점에서 날치기했을 때 아주 기뻐했다.

　베이든 파웰은 소년 사관들의 진지함과 용기에

데이비스 부인은 마페킹 전투 때 영국군을 도와 열심히 싸운 여자 중의 한 사람이었다. 다른 여인들은 피난처에서 부상병을 간호했으나 그녀는 총을 쏘는 솜씨가 뛰어나 바리케이드에서 총을 쏘았다.

마페킹 소년 부대. 우편 배달과 다른 필수적인 일들을 담당한 소년 부대원들이 전쟁으로 파괴당한 건물 밖에서 자랑스러운 표정으로 서 있다.

마페킹 포위 공격 동안 폭격을
받은 화학 공장의 광경.
마페킹 마을의 거의 모든
건물들이 손상을 입었으나 인명
피해는 별로 없었다.

크게 감명을 받았고, 그들에게 전문 전달, 우편물
배달, 그리고 경계 초소에서의 근무 교대 등의 임
무를 맡기려고 준비했다.

얼마 뒤 마페킹 소년 사관 부대는 공식적으로
마페킹 방어군의 일원이 되었다. 특히 마을에 우표
가 동이 나서 마을의 사진사와 마페킹 우체국의
인쇄업자가 일시적인 사용을 위해 몇 종류의 간이
우표를 제작해 놓았을 때 소년 사관 부대의 자부
심은 하늘에 달했다. 왜냐하면 자전거를 탄 사관
부대의 주임 상사가 편지들을 배달하려고 하는 멋
진 순간을 담은 그림이 우표에 그려져 있었기 때
문이다.

소년 사관 대원들은 베이든 파웰에게 어린 소년
들도 위험한 상황에서는 침착하고, 냉정하며 능력
이 있고, 임무를 잘 해낼 수 있다는 사실을 보여
주었다. 사실 이 마페킹 소년 사관 부대는 세계 스

카우트 조직의 뿌리가 되었고, 세계 소년 소녀들의 새로운 운동의 출발점이 되었다.

불안한 나날

베이든 파웰의 낙천적인 기질과 승리에 대한 확신 때문에 사기는 여전히 높았지만, 마페킹 마을은 적들에게 계속 포위당하고 있었다. 1899년도 크리스마스가 지나갔다.

새해가 되자 수천 명의 영국군이 남아프리카에 도착했다. 마페킹은 그들의 전투를 도우려고 많은 군인들이 온다는 소식 때문에 희망에 차 있었다. 베이든 파웰 대령은 영국군이 5월경에 도착하리라는 전문을 받았는데 석 달이나 빨리 들이닥친 것이었다.

이제는 식량, 돈, 그리고 탄약의 공급이 부족했다. 그래서 베이든 파웰 대령은 묘안을 생각해 냈다. 그는 마페킹 마을에서만 사용할 수 있는 특별한 은행권을 만들려고 인쇄를 준비했고, 수프를 만들 수 있는 큰 공장을 4개 만들었다.

또 여기서 만든 '소웬스—일종의 귀리죽'은 다이어트를 위한 음식이었으나 하도 맛이 없어서 병사들은 모두 싫어했다. 그래서 베이든 파웰은 귀리죽의 맛을 조금 개선시키기 위해 카레 분말을 좀 넣어 맛을 좋게 하기도 했다.

6개월 후에 전문 전달자가 전쟁의 소식, 가족과 친구들로부터 온 오래 된 우편물, 그리고 빅토리아 여왕의 친서를 들고 마페킹에 도착했다. 여왕은 친서에 이렇게 적어 보냈다.

'여러 가지 악조건 속에서도 용기를 잃지 않고 지금까지 신념과 확신을 가지고 임무를 잘 수행하신 대령의 노고를 치하합니다. 특히 순간순간 뛰어난 임기 응변의 전술로 잘 싸운 사실도 잘 알고 있습니다. 그리고 당신의 대단한 인내와 확고 부동한 방어 태세를 계속 관심을 가지고 지켜 보겠습니다.'

4월 말이었다. 포위 공격은 거의 200일 동안이나 계속되었다. 그럼에도 불구하고 그는 그 일을 결코 포기하지 않겠다고 결심했다.

"적들은 포탄을 소나기처럼 퍼부으면서 공격을 하지 않는 날이 없었다. 그러나 우리는 아직 적들을 조롱할 정도의 용기를 가지고 굳건히 살아간다."
마페킹에서의 신문 보도

23

마페킹의 밤

1890년 5월 17일, 전쟁을 치르느라고 분주한 영국의 수도 런던은 예년과 같은 찌푸린 여름 날씨였다. 하루 일과를 마친 9시 이후에 런던 시내에서는 많은 사람들이 몇 명씩 짝을 지어 거리를 다니고 있었다. 거리에 있는 신문 판매대에서는 석간 신문이 팔리고 있었고, 신문 독자들은 남아프리카 전쟁의 상황을 알려고 줄을 서서 신문을 샀다.

그들은 특히 베이든 파웰 대령의 마페킹 지방의 방어 이야기에 흥미를 가지고 있었다. 적들의 포위 공격으로 여러 달 동안 시달려 온 조그마한 아프리카의 마을, 그 마을의 용감한 주민들, 그리고 좀 건방진 것 같지만 임기 응변이 능하고 유능한 베이든 파웰 대령은 영국인의 우상과 같은 인물이었다.

몇 주 전에 여동생 아그네스는 그의 오빠에게 이렇게 편지를 썼다.

'사람들이 두세 명만 모이면 오빠 얘기를 해요. 오빠의 사진이 지금 모든 가게에서 팔리고 있어요. 상인들은 오빠의 사진이 어떤 물건보다도 가장 잘 팔린다고 해요.'

항상 그랬듯이 그 날 저녁에도 런던 사람들이 마페킹에서의 호된 시련과 인내가 이제 곧 종지부를 찍기를 기대하며 잠자리에 들려는 순간이었다.

갑자기 휘파람 소리가 나더니 이윽고 큰 소리가 들렸다. "마페킹이 구조되었다!" 로이터 통신사는 플리트 거리에 있는 데일리 텔레그래프 신문사의 사무실에 소식을 보내고 곧 런던 시장의 공관인 맨숀하우스 밖에다 큰 현수막을 내걸었다.

'마페킹이 구조되었다. 식량이 유격대에게 반입되었고, 적들은 사라졌다.'

시대의 영웅

침착한 영국 국민들이지만 기뻐서 흥분의 도가니가 되었다. 낯선 사람끼리도 서로 악수하고 거리에서 부둥켜안고 서로 기뻐했다. 구원의 소식을 전하기 위해 많은 공연이 중단되었다. 모든 사람들이 베이든 파웰을 응원하였고, 영국 국가를 다같이 합창했다. 런던은 이전에 이렇게 열광적인 기쁨, 환희의 날을 결코 가져 본 적이 없었다.

사람들은 "베이든 파웰을 위해 만세 삼창을 하

런던 사람들은 마페킹의 구원을 축하했고, 거리에서 노래를 부르며 춤을 추었다. 런던의 분위기는 아주 흥청거렸고, 마페킹의 밤은 축하와 잔치의 대명사가 되었다.

"물론 베이든 파웰은 어린 시절부터 성공하기를 갈망했으며, 그러한 야망 때문에 자신을 불태웠다. 보잘것없는 작은 출판사 주인 눈에 그는 대단한 존재가 아니었다. 그러나 그는 비록 대령이었지만 한 권의 책으로 총사령관만큼이나 유명해졌다."
팀 질의 전기 《베이든 파웰》 중에서

자."고 몇 분마다 외쳐 댔다. 포위 공격을 성공적으로 방어한 후 모든 명예와 명성이 베이든 파웰에게 모아졌다. 그는 국민들이 정말로 영국의 위신을 세워 줄 사람을 필요로 했던 바로 그런 인물이었다. 즉, 유머가 있고 겸손한 영웅, 그리고 아주 위엄 있게 그 상황을 타개했던 인물이었다.

그는 수천 통의 편지를 받았는데, 특히 그의 탐험에 관한 이야기를 읽고 충고받기를 원하는 어린 소년들로부터 많이 받았다. 그들은 이 유명한 대령이 무뚝뚝하지 않고 친하기 쉬우며, 자신들의 문제에 관심을 가져 준다는 사실에 기뻐했고, 베이든 파웰 대령도 소년들의 이 편지들을 기뻐했다. 그는 아주 처절한 상황 속에서도 용감하고 협조적이었던 마페킹 마을의 소년들을 기억하면서 소년들의 편지에 일일이 답장을 썼다.

베이든 파웰이 국민의 영웅이 되자, 사람들은 마페킹 기념품을 사기 위해 몰려들었다. 배지, 스카프, 기념패, 그리고 소책자들이 판매되었고, 베이든 파웰의 그 유명한 모자 그림도 잘 팔렸다.

소장

1900년 베이든 파웰은 소장으로 진급하였는데, 그 때 나이 43세였다. 영국군 내에서 가장 나이 어린 소장이었다. 그는 전쟁이 끝난 후에도 거의 3년 동안 남아프리카에 머물렀고, 이 기간 동안 남아프리카 경찰대 창설의 책임을 맡았다.

그의 부대인 평화 유지군은 베이든 파웰이 고안한 제복을 입었고, 그들의 훈련 방식은 일반 군대 훈련보다 개인적 자유가 더 많았다. 곧 경찰대는 군대로서의 활동뿐만 아니라 지역 봉사자로서의 역할을 충실히 수행하며 군대로부터 따로 독립되었다.

기병의 검열 장군이 되어 1903년 봄에 영국에 돌아왔을 때, 그는 많은 변화된 모습을 발견했다. 그가 조국을 떠날 당시의 영국은 번영의 전성기였으나, 이제는 보어 족들과의 전쟁으로 교역은 쇠퇴해 있었고, 임금도 떨어졌고, 실업자만 득실거렸다. 젊은이들은 야만적으로 예술·문화를 파괴하고 술주정뱅이가 되어 범죄를 저질렀다. 베이든 파웰은 젊은이들의 창백한 얼굴과 희망이 없는 표정이 애처로웠고, 계속 줄담배만 피워 대고 모여서 노름만 하는 무리들을 보고 실망했다.

《스카우트에 대한 조언》

《스카우트에 대한 조언》이라는 책은 마페킹의 포위 공격 이전에 쓰여졌는데, 그 책이 급속도로 판매 부수가 늘어나 베스트셀러가 되어 가고 있다는 것을 베이든 파웰은 알았다.

그 책은 베이든 파웰이 인도에서 대령으로 있을 때 실험해 본 생각들을 개념화시킨 것이다. 훈련을 통해 용기, 인내, 이상, 그리고 판단이 개발된다고 그 책은 설명했다.

그리고 구성원을 소집단으로 분류하고, 재미있고 즐거운 훈련과 여러 가지 경기와 경쟁을 시켜서 합격한 사람에게는 배지를 달아 주었다는 내용도 설명되어 있다.

소년 문제

베이든 파웰은 희망 없이 살아가는 소년들을 돕는 일을 누군가는 해야 한다고 생각했다.

그래서 그는 후에 스카우트 운동이 된 그 훈련

부랑아들은 거리에서 흡연하고 나쁜 짓을 하는 무법자였다. 그는 스카우트 대원들에게 "큰 작업장이나 뒷골목에 가서 그들이 하고 있는 이야기를 듣고 생각해 보라. 그러면 여러분들은 우리의 문명의 발달과 그 결과에 대해 부끄러워하게 될 것이다. 그러나 그것은 소년들의 잘못이 아니다. 단지 바른길로 그 소년들을 인도할 사람들이 부족했기 때문에 그들이 비뚤어지게 되었을 뿐이다. 그들을 바른길로 인도해 주었던 것이 바로 스카우트 운동이다."라고 말했다.

계획을 준비하기 시작했다. 베이든 파웰은 이 조직에 관해서 관계가 있는 책은 거의 다 읽었다. 가장 인상 깊었던 책은 톰프슨이 지은 《숲 속 생활이 뛰어난 인디언들의 자작나무 굴리기》였다.

베이든 파웰은 젊은 사람을 위한 교육용 놀이 활동으로써 삼림술과 길찾기를 이용한 것에 대해 큰 감명을 받았다. 그 사람을 만나 의견 교환을 했을 때 파웰은 몇 개의 귀중한 아이디어를 얻었다.

베이든 파웰이 저술한 초기의 책들은 전쟁용 훈련법에 관한 것이 대부분이었다. 이제 그는 소년들이 평화를 위해 소년 자신을 개발하도록 하는 데 돕기를 원했다. 스카우트 활동은 젊은이들이 그들 자신, 기술, 능력, 그리고 약점을 알게 됨으로써 더 나은 인생을 살아가며, 약점을 보완하도록 하는 수단인 것이었다.

새로운 아이디어

보물 같은 아프리카의 기념품인 베이든 파웰의 쿠두 나팔은 매일 아침 브라운시 섬 캠프의 소년들을 깨웠다. 후에 기상 나팔은 스카우트 대원 훈련 캠프의 하나의 관습이 되었고, 그 훈련 캠프는 새로운 스카우트들을 유능한 지도자로 양성하는 수단이 되었다.

보이 스카우트 조직에 대한 베이든 파웰의 생각이 이제 모습을 갖추고 있었으나, 다른 사람들의 관심을 불러일으키는 것이 필요했다. 그는 〈보이 스카우트 제안〉, 그리고 〈보이 스카우트 계획〉이라는 두 가지 문서를 작성했다. 그리고 그것을 인쇄하여 몇 명의 친구들에게 보여 주었다. 그는 그들로부터 환영의 답장을 받았고, 계획을 실행하고 그 계획을 소책자로 만들어 보라는 제안도 받았다.

기병의 검열 장군으로서의 임기를 끝내고, 그는 1907년 6월 중장으로 진급되었다. 그는 예비군 부대로 가게 되었다. 30년 동안이나 계속해 온 군대 생활. 그러나 이제 그는 군대일보다는 새로운 사업에 전적으로 헌신할 여유를 갖게 되었다. 《소년을 위한 스카우트 활동》이라는 기초적인 책자를 만들기 전에 그는 자신의 계획들을 구체적으로 해 보아야 한다고 생각했다.

첫번째 스카우트

1907년 7월 말경에 22명의 소년들이 브라운시라는 섬을 향해 떠났다. 영국의 남해안에서 떨어진 조그만 섬이었다. 소년들의 출신지는 서로 각각이었다. 공장에서 일하는 소년, 공립 학교 출신의 상류 계급 젊은이, 부유한 사람들이 기부한 돈으로 살아가는 가난한 시골 소년 등 아주 다양했다. 어떤 소년은 형제 혹은 학교 친구와 같이 캠프에 참석했다. 모든 소년들은 멋지고 말쑥한 짧은 옷과 스포츠용 셔츠를 담은 가방이나 보따리를 하나씩 가지고 있었다.

그 캠프에 참가한 소년들은 대단한 자부심을 가지고 있었다. 왜냐하면 이 소년들은 마페킹의 유명한 영웅인 베이든 파웰 중장과 함께 일 주일 동안 캠프 생활을 할 수 있었기 때문이다.

베이든 파웰은 이 첫번째의 캠프 활동을 아주 세심하게 신경을 써서 준비했다.

브라운시 섬은 육지와 아주 멀리 떨어져 있었고, 다양한 지형과 모래밭, 그리고 은신처를 위한 우거진 숲이 있었다.

텐트, 침낭, 취사 도구, 조그만 배, 다른 준비물도 많았다.

도요새, 갈가마귀, 늑대, 황소

캠프 생활의 첫날 아침에 베이든 파웰은 소년들을 도요새, 갈가마귀, 늑대, 그리고 황소 등 4개의 순찰반으로 나누었다. 그는 또 소년들이 어느 순찰반에 속해 있는지를 구별하기 위해 어깨에 테이프 매듭을 만들었다. 도요새 : 노란색, 갈가마귀 : 빨간색, 늑대 : 파란색, 그리고 황소는 초록색이었다. 각 순찰반의 대표는 깃발을 가지고 있었다.

배지도 역시 있었다. 놋쇠 빛깔의 플레르드리스였다. 그리고 '준비하라!'는 뜻의 놋쇠 빛깔의 두루마기도 있었다.

그 날 밤 소년들은 캠프파이어 주위에 모였다.

베이든 파웰은 거기에 모인 소년들에게 그의 군대 생활 중에 일어났던 얘기를 해 주었고, 그들에게 아프리카에서 감명 깊게 들은 줄루 족의 합창인 〈엔곤야마〉라는 노래도 가르쳐 주었다. 캠프파이어 때 그가 들려 준 얘기들은 그 젊은이들에게 일생을 살아가는 데 중요한 교훈이 되었다.

소년들의 즉흥적인 제복은 브라운시 섬에서의 스카우트 개척자들의 유머 감각의 일면이었다. 이 캠프 사진에서 베이든 파웰 역시 임시적인 제복을 입고 소년들에게 게임을 설명하고 있다.

현대의 스카우트가 야외 활동을
통해 자연을 경험하려 나서고
있다. 1907년 브라운시
섬에서 첫번째 시작하여
소년들을 매료시킨 것이
발전하여 오늘날까지 이르고
있는 것이다.

기상 나팔

오전 6시, 소년들은 베이든 파웰의 '쿠두(경적)' 소리에 기상했다. 매일의 활동은 주제 토론, 캠프 기술, 관찰, 혹은 구명법이었다.

모닥불 주위에서 토론되는 주제들은 다음날 아침 자세한 설명과 함께 실제로 해 보았다.

그리고 오후에는 경쟁과 게임을 통해 적응 능력을 길렀다.

매일 밤마다 다른 순찰반들이 돌아가면서 교대로 야간 경계 근무를 섰다. 뽑혀진 순찰반은 미리 정해진 장소에 가서 캠프를 설치하고, 불을 피우고 저녁밥을 짓고 적들을 관찰해야만 했다.

베이든 파웰은 특히 야간 캠프 활동에 흥미를 느꼈다. 왜냐하면 그들은 그의 순찰 제도가 유용한지 유용하지 않은지를 보여 주는 증거였기 때문이다.

성공

캠프 활동의 마지막 날에 베이든 파웰은 소년들이 그 동안 익혀 왔던 새로운 모든 기술들의 전시회에 소년들의 부모와 사회에서 존경받는 유명 인사들을 초청했다. 게임, 경쟁, 그리고 설명회가 어울어진 전시회는 전적으로 소년들에 의해 조직되고 실행되었다.

다음날 아침, 캠프는 해산되었다. 소년들은 신났던 생활을 아쉬워하며 집으로 향했고, 베이든 파웰은 그 동안의 캠프 생활을 평가하고 떠났다.

아마 그는 순찰 제도의 결과에 대해 만족해하는 것 같았다. 나중에 그는 이렇게 평가했다.

'소년들을 5개의 순찰반으로 나누어 조직한 것과 그리고 그 중에서도 가장 재능 있고 나이가 많은 아이를 대표로 했던 것들이 우리의 캠프가 성공할 수 있었던 비결인 것 같다.'

각 순찰반의 리더는 항상 순찰 행동에 대해 전적인 책임을 맡았다. 순찰반은 작업이나 놀이의 단위였다.

소년들은 규칙을 반드시 실천함으로써 그들의 명예를 지켰고, 책임감, 정의감, 바른 생활 습관 등이 몸에 익혀졌다. 베이든 파웰의 실험은 성공적이었다.

오두막을 건축하는 훈련을 하는 스카우트 대원들이 나무 받침대를 세우는 최선의 방법을 생각하고 있다. 최초의 캠프에서 소년들이 우정어린 그룹 활동을 통해 새로운 기술을 익혔듯이 오늘날 세계의 소년 소녀들도 그룹별로 같이 문제를 풀고 신의를 쌓는다.

스카우트 선서

그는 《소년을 위한 스카우트 활동》이란 책을 집필하여 1908년 1월 15일 4부로 된 첫번째 인쇄본의 판매에 들어갔다. 방방 곡곡의 소년 소녀들이 베이든 파웰 중장이 무엇을 주장하는지를 알고 싶어서 너도나도 책을 샀다.

무엇보다도 눈에 띄는 내용 중의 하나가 스카우트의 선서였다. 스카우트 활동에 참가하고자 하는 모든 소년은 서약을 하고 세 가지 약속을 지켜야 했다.

1. 하느님과 나라를 위하여 나의 힘을 다하겠습니다.
2. 항상 다른 사람을 도와 주겠습니다.

군대 경례는 상급자에 대한 충성심의 표현인데, 스카우트의 경례는 우정의 표현이다.

초창기 스카우트가 위험한 런던 거리를 횡단하는 노인을 돕고 있다.

3. 스카우트 규율을 잘 지키겠습니다.

스카우트 대원들의 제복은 베이든 파웰이 군대에서의 경험을 기초로 해서 만들어졌다. 아프리카에서 즐겨 쓰던 챙이 넓은 모자, 인도에서 들여온 플레르드리스 배지, 거기에다가 숲 속 생활에서 얻은 아이디어로 만든 목도리, 플란넬 셔츠, 그리고 강을 뛰어 건너고, 발판을 검사해 보고, 거리를 재어 보기 위해 그의 동료 장교가 정글에서 사용한 지팡이(스테이브) 등을 역시 첨가시켰다. 셔츠와 어깨 매듭은 브라운시 섬의 캠프 생활에서 비롯되었다.

《소년을 위한 스카우트 활동》은 새로운 스카우트가 되기 위해 5가지 시험을 명시했다. 그것은 매듭 묶기, 관측, 스카우트 보폭으로 1마일 걷기, 스카우트의 규칙과 사인 알기, 그리고 국기를 흔드는 방법 등이었다.

묘안들

1908년 4월, 《소년을 위한 스카우트 활동》내용이 주간지인 《스카우트》에 실렸다. 게임과 활동을 위한 정보, 모험 이야기, 그리고 제안 등의 내용으로 된 《스카우트》는 첫해 동안 11만 부가 발행되었다.

방방 곡곡의 소년들은 스테이브용으로 빗자루를 이용했고, 어머니를 설득시켜 바지를 짧게 했고, 챙이 넓은 모자를 준비했으며, 캠프파이어를 만들어 놓았다. 그들은 장소가 공원이라 할지라도 시골길을 관측하는 법과 탐험하는 방법을 배웠다.

그들은 또한 순찰 활동에 앞서서 그 훈련이 성공하기 위해서 꼭 《소년을 위한 스카우트 활동》이라는 책을 공부했다.

1908년 여름, 두 번째 캠프가 있었다. 참가한 30명의 스카우트 대원은 '스카우트 규칙'에 의해 단원끼리의 단결을 얻었다. 베이든 파웰은 어느 곳이나 스카우트 활동의 장소로 생각했기 때문에 어느 곳이나 훈련이 가능하다고 보았다.

캠프는 스카우트 운동의 가장 중요한 훈련 방법이 되었고, 그래서 점점 더 많이 만들어졌다. 초기의 몇몇 캠프는 200명 이상의 스카우트를 수용할 만큼 넓었다. 너무 많은 대원이 참가하여 자연과의 긴밀한 접촉, 대원과 대표와의 인간적인 우정을 나누는 스카우트 캠프의 실질적인 목적에 도달하기 힘들었다. 하지만 장비와 강사의 부족 때문에 어쩔 수 없었다.

1908년 첫번째 경쟁의 성공을 경험으로 그 이후 캠프 때도 이와 유사하게 경쟁을 벌였다. 그것은 100명의 소년들이 들어갈 만큼의 공간을 가진 베이든 파웰의 캠프에서 2주간 지내는 것이었다. 소년들은 50명씩 2그룹으로 나뉘어서 한 그룹은 지상에서 1주일을, 한 그룹은 배 위에서 한 주일을 보냈다. 배는 '머큐리'라는 훈련용 배였다.

1910년 해상 스카우트 활동의 공식적인 기원을 이룬 것이 바로 이 '바다 캠프'의 성공에서 비롯된 것이다. 베이든 파웰은 1908년과 1909년 갑작스럽게 스카우트 활동이 증가한 것에 놀랐다. 성공의 비결은, 소년들은 여가 활동을 제대로 할 수 없었는데 스카우트 활동이 그 모자란 점을 채워 주었기 때문이다.

"베이든 파웰의 계획을 소년들은 구속당하는 것처럼 느끼기는커녕, 오히려 지금까지 경험해 보지 못했던 자유를 누리는 것이라고 생각했다."
팀 질의 전기 《베이든 파웰》 중에서

캠프파이어 주위에서 베이든 파웰이 그의 대원들에게 자신의 경험을 이야기해 주고 있다. 스카우트 운동이 세계적으로 성공할 수 있었던 것은 이와 같은 베이든 파웰의 독특한 방법과 신념 때문이었다.

스스로 저녁밥을 짓고 있는 스카우트 대원들.

스카우트 대원들의 추적 훈련 모습.

스카우트 활동의 편안한 접근 방식과 젊고 친절한 대표는 그 당시 엄한 부모, 선생, 그리고 성직자들의 권위주의적인 그런 분위기보다는 훨씬 부드럽고 포근했다. 그러나 스카우트 활동이 계속해서 인기 있었던 진짜 이유는 아이들에게 자라면서 자신의 기술과 능력을 시험해 보고 깡패 혹은 불량배를 만나도 겁 없이 잘 넘길 수 있는 담력을 길러 주었기 때문이다.

캠프에서는 사냥개에게 몰래 다가가는 걸음걸이법, 관측하는 법, 장작불 위에서 요리하는 법, 텐트를 치고 은폐물을 이용해서 몸을 숨기는 법, 독립적이기는 하지만 한 팀의 일원이 되는 법 등을 배울 수 있었다. 초기 스카우트 활동에 있어서 제복과 배지가 이러한 소속감을 더해 주었다.

성공의 비결

아마 처음에 스카우트 대원들은 그들 개인 각자가 무엇을 결정하거나 순찰반 단위별로 하거나 혹은 큰 스카우트 단 전체가 민주적인 방식으로 어떤 결정을 내렸던 것 같다.

이 모든 요소들로부터 스카우트 활동과 베이든 파웰의 인격을 발견할 수 있다. 베이든 파웰은 유머가 있고, 형식에 얽매이지 않는 낙천적인 높은 이상을 가진 사람이었다. 해를 더해 갈수록 스카우트 활동의 발전적인 측면이 젊은이들의 이상과 꿈을 키워 주었으며, 미래를 더 나은 세계로 만들어 보고자 하는 창조적인 기회를 제공해 주었다.

그래서 많은 소년들이 너도나도 스카우트가 되고 싶어했기 때문에 이러한 인기는 오히려 문제가 되었다. 어떤 아이들은 스카우트 활동에 부적당한 강사에게 훈련을 받는가 하면, 또 어떤 아이들은 감독의 범위를 벗어나서 행동했다.

베이든 파웰은 이러한 상황을 억지로 바꾸려고 하지 않았다. 그러나 지방 위원회가 해당 지역의 스카우트 활동을 감독하는 것이 필요하다고 건의했다.

베이든 파웰도 분명히 중앙 집권적으로 스카우트 운동을 통제할 필요성을 느끼고 있었다.

"초기의 기독교처럼 최초의 보이 스카우트는 놀림감의 대상이었다. 그러나 강압적인 학교 선생, 교화하는 교회 목사, 권위적인 부모로부터의 탈출에 비하면, 이런 조롱은 별것이 아니었다. 라디오나 영화도 없고, 운동할 만한 장소도 거의 없었으며, 대부분의 학교는 강압적인 군대와 같은 곳이었다. 소년들과 미래 세계를 결정하는 사람들에게 있어서, 스카우트 조직은 하늘이 내려 준 것 같았다."
팀 질의 전기 《베이든 파웰》 중에서

이 두 엽서는 초창기 스카우트의 모험과 새로운 세계에 대한 경험을 재미있게 그린 것이다. 동료가 요리한 것을 맛보고는 한 대원의 얼굴이 일그러진다. 개도 역시 그 음식에서 고개를 돌린다. 밑에 있는 엽서는 용감한 스카우트 대원들이 무법자들을 찾기 위해 애쓰는 모습.

크리스털 궁전 집회

스카우트 활동에 있어서 초창기의 전성기는 1909년의 스카우트 캠프였다. 비가 억수같이 쏟아지는데도 불구하고 1만 1천 명의 스카우트 대원이 런던의 널찍한 크리스털 궁전에 모여 그들의 기술을 발표하고, 베이든 파웰의 연설을 듣기 위해 구름같이 모여들었다.

그들은 베이든 파웰이 강단에 오르자 우뢰와 같은 환영의 박수를 보냈다.

스카우트 대원에게 축하와 안부를 묻는 국왕 에드워드 7세의 축전을 베이든 파웰이 읽어 내려갈 때 침묵이 흘렀다. 국왕의 전문은 스카우트 대원들을 흥분의 도가니로 몰아넣었는데, 그 축전은 스카우트와 왕실과 귀족의 친분의 시작을 알리는 표시였다.

스카우트 운동은 비록 몇몇 사람들의 비난도 받았고, 또 반대로 젊은이들을 규합하고, 절제력을 길러 주어야 한다고 주장하는 사람들도 많았다.

소녀

크리스털 궁전 집회장에 모인 수천 명의 소녀들 중에 몇 명의 소녀들이 섞여 있는 것을 베이든 파웰은 발견했다. 그들은 스카우트 제복을 입고 있었다. 그것도 보이 스카우트들과 똑같은 복장이었다.

베이든 파웰은 소녀들에게로 다가가서 "당신은 누구예요?" 하고 물었다. 그 당시 영국은 전통과 관습을 중요시하는 권위주의적인 나라여서 소녀는 숙녀 복장을 해야 하며, 가정 안에서만 생활해야 했다.

스카우트에 소녀가 가입하려고 한다는 것은 베이든 파웰에게 대단한 충격이었을 뿐만 아니라 그 당시 사회적으로도 마찬가지였다. 그런데 소녀들은 꼭 스카우트가 되겠다고 하며, 보이 스카우트가 가지고 있는 그런 장비들을 손수 집에서 만들어 배낭과 제복을 착용했다.

사회 인식은 막 변하기 시작했으나, 스카우트 대원이 되려고 하는 많은 소녀들이 스카우트에 가입

용맹스럽고 확신에 찬 걸 스카우트.
처음에는 베이든 파웰의 여동생인 아그네스가 맡았으나, 나중에는 그의 젊은 부인 올러브가 지휘했다. 가이드 조직은 소녀들에게 지역 봉사자로서 살아가도록 했다.

할 수 있을 만큼 충분히 성숙되지 않았다. 초창기의 '걸 스카우트'는 영국인의 권위적인 인식을 하루 아침에 변화시킬 수 없어서 여러 가지 어려움에 부딪혔다. 그리고 크리스털 궁전 집회에서 베이든 파웰과의 논쟁에서 승리하기에는 많은 용기가 필요했다.

새로운 계획

베이든 파웰은 그의 어머니와 여동생과 떨어져 혼자서 사는 독신이었다. 그는 실제로 어떤 여자와도 친분이 없었다. 그의 일생은 단지 군인으로서의 남자들과 함께 보냈으며, 또한 소녀들이 스카우트 운동에 참여하는 것이 필요하다고 느끼면서도 어린 소녀들의 교육에 대해 신경을 써 오지 않았던 것이다. 1910년 11월, 소녀들이 스카우트에 가입하려고 서명했으나 거절당하고 말았다.

베이든 파웰은 그의 여동생에게 어떻게 하는 게 좋겠느냐고 의논하러 갔다.

이런 저런 이야기 결과 그녀가 온힘을 다해 '소녀 안내자 협회'란 이름으로 소녀들을 모아서 운동을 시작하기로 했다.

"어린 소녀들로부터 그들도 소년들과 같이 스카우트 생활의 기쁨을 누릴 수 있도록 해 달라는 애절한 편지를 많이 받았다. 물론 나 자신도 그렇게 되기를 바라고 있다."
　　　　로버트 베이든 파웰

1914년부터 어린 소년들은 커브(유년단)에 가입함으로써 스카우트 활동에 참여할 수 있었다.

스카우트의 활동을 그린 엽서.
문제만 일으키던 소년들을 목적
의식이 있고, 질서를 지킬 줄
아는 스카우트로 바꾸려는
베이든 파웰의 이상이 담겨
있다.

베이든 파웰의 결정

소녀들을 따로 분리해서 '가이드'란 이름으로 조
직하려는 베이든 파웰의 결정을 사람들은 이해를
하지 못했다. 1909년 부모들은 성 개방과 여성 운동
을 선동한다고 하며 우려를 나타냈고, 나이 든 사
람들도 대부분 반대했다. 소녀들이 남자들과 어울
려서 활동을 같이하는 것을 이해할 만한 사회적
분위기도 되지 않았다. 그러나 베이든 파웰의 독립
적 조직을 만들려는 결정은 부모들에게 받아들여
질 수 있었고, 마침내 태도가 바뀜에 따라 '가이드
활동'을 저항 없이 할 수 있었다. 이 두 조직은 오
늘날에도 여전히 분리되어 있다.

'가이드 활동'은 서서히 시작되었다. 그리고 가이
드 회원의 숫자는 1916년까지 스카우트 회원의 4
분의 1 정도였다. 초창기 걸 스카우트 몇몇은 그들
의 명칭이 '가이드'로 바뀐 것에 대해 별로 좋지
않게 생각했다.

가이드가 본격적으로 활동을 시작한 것은 1920
년대 이후부터였다.

세계적으로 발전

수많은 소년들이 스카우트에 가입하려고 몰려들
었고, 1910년 첫번째 조사에서 회원의 수가 10만
명 이상이었다. 약 8천 명의 스카우트 강사가 있었
는데, 그들은 특별 훈련과 토론을 위해 일치되기
시작했다.

이미 스카우트 활동은 세계적인 운동이 되었다.
《소년을 위한 스카우트 활동》은 베스트셀러가 되
었고, 여러 나라 말로 번역되었다. 곧 스카우트가
오스트레일리아, 캐나다, 뉴질랜드, 남아프리카, 칠
레, 인도, 가이아나(그 당시 영국령), 자메이카, 짐
바브웨(그 당시에는 로디지아), 싱가폴, 덴마크, 핀
란드, 프랑스, 그리스, 러시아, 네덜란드에서 조직
되었다. 최소한 70개 국 이상이 참가하게 되었고,
약 2백만 명의 스카우트가 생기게 되었다.

런던에서 미국인 여행자가 짙은 안개 속에서 길
을 잃어 한 스카우트에 의해 그의 숙소인 호텔까

불량 소년에서 용감한 스카우트로 변한 모습.

부상당한 아이를 위해 들것을 준비하는 스카우트 대원들.

런던의 하이드 공원에서 개와
산책하고 있는 모습을 베이든
파웰이 처음 발견했을 때의
20세 된 검은 머리의 올러브.
3년 후 그녀는 베이든
파웰의 아내가 되었다. 올러브는
스포츠, 여행, 캠핑을 즐겼으며,
쾌활한 성격으로 베이든 파웰의
어떤 일이든지 열성적으로
참여했다.

지 돌아갈 수 있었는데, 친절한 그 스카우트는 팁
을 받기를 거절했었다. 그 길을 잃어버린 사람인
윌리엄 보이스라는 출판업자는 아주 감명을 받아
1910년 미국에 돌아가자마자 미국에 스카우트를
창설했다.

일상 생활에서 선한 일에 힘쓰려는 그 이름 모
를 한 스카우트의 신념에 의해 미합중국에 스카우
트 운동이 전래된 것이다.

로버트 경

크리스털 궁전 집회가 끝난 얼마 후, 영국 국왕
은 베이든 파웰에게 로버트 파웰 경이라는 작위를
내렸다.

파웰은 그것에 대해 아주 당황했으며, 또한 아주
기뻐했다. 그러나 그는 왕으로부터 받은 작위를 잊
어버리기 일쑤였다.

공식적으로, 베이든 파웰은 여전히 군대에 근
무하고 있었다. 그러나 베이든 파웰이 스카우트 활
동에 많은 시간과 정열을 쏟았기 때문에 1910년 5
월 퇴역하라는 권고를 받았다. 그것은 중요한 계기
가 되었다. 그는 일생의 대부분을 군대에서 보냈으
며, 이제 53세의 나이로 인생의 두 번째 일을 시작
할 수 있게 되었다.

베이든 파웰은 스카우트 활동에 전적으로 봉사
하기 시작한 후 첫번째 2년 동안에 캐나다, 미국
스칸디나비아, 네덜란드, 그리고 벨기에를 방문했
다. 그리고 1911년 조지 5세 국왕의 왕관 수여식
(대관식) 행사의 진행을 책임지게 되었다.

올러브

1912년 1월, 파웰은 아르카디안 호를 타고 미국
으로 강의 여행을 떠났다. 그는 갑판 위에서 신선
한 공기를 쐬고 있을 때, 낯이 익은 여인을 발견했
다. 그는 기억을 더듬어 약 2년 전 런던에서 어느
날 아침에 있었던 일을 기억에 떠올렸다.

그 날 그는 나이트 다리 병영으로 급하게 달려
가다가 공원에서 스파니엘 개를 훈련시키고 있는

어린 스카우트와 올러브. 그녀는 베이든 파웰과 약혼한 뒤 스카우트에 참여했다. 초기에 그녀는 다소 수줍어했지만 곧 자신감을 얻었다.

젊은 여인을 발견했다. 베이든 파웰이 감동받은 것은 그 여인의 너무도 민첩하고 단호한 모습이었는데, 그녀는 뚜렷한 목적 의식과 우아함을 지니고 있었다.

그러나 그는 그 동안 너무도 바빠서 그 때의 그 여인에 대해서 완전히 잊고 있었으나, 놀랍게도 지금 그녀가 아르카디안 호에 타고 있었다. 그녀의 이름은 올러브 세인트 소암즈였다.

항해중에 그들은 많은 이야기를 나누었으며, 아주 가까워졌다.

그래서 올러브 소암즈는 가능하다면 빨리 그와 결혼하기를 원했으나 베이든 파웰은 어머니와 여동생 뒷바라지를 하고 있었다.

그는 돈이 없어서 걱정은 되었지만 그렇게 대단하게 생각하지 않았다.

또 그들의 나이 차이가 문제가 될 수 있었는데, 그 때 베이든 파웰의 나이는 55세, 올러브는 단지 23세였다. 그러나 그 나이에도 불구하고 적극적인 성격, 뛰어난 유머 감각을 가지고 있는 그를 올러브는 아주 좋아했다.

"나의 미래의 신부는 스카우트에 관해서 나만큼 관심을 가질 것이다. 신부는 나를 도와 줄 것이며, 따라서 내가 결혼하는 것은 그러한 운동으로부터 내가 멀어지는 것이 아니라, 그 일을 돕기 위한 보조자를 얻는 것이다. 그리고 스카우트를 사랑하는 사람들은 그 여인을 보자마자 그 여인을 사랑할 것이라고 나는 확신한다."
1912년, 《스카우트》 중에서
베이든 파웰

일생의 동반자

베이든 파월은 1912년 9월 고향에 돌아가기 전에 남아프리카를 경유하여 미국, 일본, 중국, 뉴질랜드, 그리고 뉴기니를 방문했다.

베이든 파월은 올러브의 아버지를 만나 보고 나서 어머니에게 다음과 같은 편지를 썼다.

'사랑하는 나의 어머니.

어머니의 생신 선물로 무엇을 드릴까 곰곰이 생각해 보았는데, 이것뿐이라는 결론을 내렸습니다. 이 선물은 어머니를 기쁘게 할 것입니다. 저는 또 그렇게 되길 희망하며 또 믿습니다. 저는 이제 반려자를 얻었습니다. 그 사람은 바로 어머니의 며느리 될 사람이지요. 저는 아르카디안 호에서 올러브 소암즈라는 정숙한 여인을 만났습니다. 저는 그녀의 아버지에게 훌륭한 사위가 되겠다고 약속했습니다. 어머니! 내가 올러브를 좋아하는 만큼의 반만큼이라도 어머니께서 좋아하시기를 빕니다. 그녀는 단지 한 가지의 부족한 점을 가지고 있습니다. 그녀의 결점은 나이가 어리다는 것입니다. 그러나 그녀는 나이는 어리지만 성숙한 사고를 할 수 있는 두뇌가 있고, 현명하며 아주 밝고 쾌활합니다. 월요일에 집에 가서 이 모든 것들에 대해 다 말씀드리겠어요. 그래서 어머니의 동의와 좋은 소망을 얻고 싶습니다.'

결혼

1912년 10월 30일, 육군 중장 로버트 베이든 파월 경과 올러브 세인트 소암즈는 결혼을 했다. 그들은 신혼 여행을 알제리로 갔고, 호텔이 아닌 캠프에서 보냈다. 그 캠프는 그녀가 이전에 한 번도 캠프를 경험하지 않아서 올러브를 시험하는 캠프가 되었다.

그러나 그녀는 우수한 성적으로 합격했다. 베이든 파웰은 어머니에게 '올러브의 캠프 생활은 너무 완벽해서 놀랄 지경이었습니다. 그녀는 캠프를 즐겼고, 거의 미개척지의 사람 같았답니다. 그녀는 걷기도 잘 했으며, 결코 길을 잃는 법이 없는 유능

베이든 파웰의 딸 히더가 장난감을 어깨에 둘러메고 있다. 파웰은 헌신적이고 자상한 아버지로 농담과 재미있는 이야기로 세'살짜리 아이를 기쁘게 했다. 히더는 자라면서, 승마와 그림에 특별한 관심과 재능을 나타냈다.

한 스카우트였습니다. 그리고 그녀는 어머니처럼 나를 잘 돌보아 주었습니다.'라고 편지를 보냈다.

그 부부가 고향에 돌아왔을 때 스카우트들은 그들에게 결혼 선물을 했다. 십만 명의 스카우트 대원들이 한 사람당 1페니씩 모아서 조그만 자동차를 사 주었는데, 그 차에는 스카우트 배지와 구호가 있었고, 노란 장식과 짙은 초록색의 스카우트 색깔이 칠해져 있었다.

세계적인 변화

그 이후 몇 년 동안은 베이든 파웰 가족도, 스카우트 운동과 마찬가지로 큰 변화가 일어난 획기적 시기였다. 1914년과 1918년 사이에 제1차 세계

베이든 파웰이 그린 민스러스트의 집.
그는 아내와 아이들과 함께 행복하게 살았다. 집에서의 생활은 그림그리기와 코미디로 가득 찼다. 또 스카우트 운동을 일으키게 하는 힘을 주었다.

대전의 소용돌이에 휩싸여 스카우트와 가이드들도 그들의 집과 생명을 잃게 되었다.

그럼에도 불구하고 스카우트 대원과 강사들의 숫자가 4만 1천 명 정도가 더 늘어나서 1914년에 152,333명이었던 것이 1918년에는 193,731명이 되었다.

베이든 파웰의 가족에게 전쟁을 거치는 동안 기쁜 일과 슬픈 일이 있었다. 베이든 파웰의 어머니가 세상을 떠났고, 베이든 파웰은 3명의 아이를 낳았다. 맏아들인 피터는 결혼 1주년 즈음에 태어났고, 히더는 1915년 6월 1일에, 그리고 막내딸인 베터는 1917년 4월 6일에 태어났다.

1919년 1월 29일에 그들은 새 집으로 이사를 가게 되었는데, 그 이사한 집에서 그들은 그 후 20년 동안 살게 되었다. 전쟁의 종전을 기념하기 위해 그들의 집을 평화의 언덕이란 뜻인 '팩스 힐'이라는 이름을 붙였다. 베이든 파웰은 마을의 표지판을 제작했고, 그 집은 지금도 '팩스 언덕'으로 가는 길 가에 남아 있다.

변화의 시간

전쟁이 끝난 뒤 스카우트 운동은 많은 문제점에 부딪혔다. 다양한 연령층의 관심을 끌기 위한 적당한 활동이 제대로 준비되어 있지 않았다.

나이가 어린 층에는 별다른 문제가 없었으나, 문제는 14세에서 18세 사이의 나이층에 있었다.

그러나 가장 큰 변화는 가이드 활동에서 나타났는데, 제1차 세계 대전 동안 여자들은 전국을 뛰어다녔다. 남자들이 고향을 떠나 전투를 하고 있었을 때, 부인들과 딸들은 여자들도 무슨 일이든 할 수 있다는 것을 증명해 보였다.

전쟁 후에는 여성의 투표권도 현실화되었고, 1920년대의 여성들은 아주 발랄하며 독립적이었다. 이렇듯 새롭게 펼쳐진 세계에서 '가이드'는 그들의 위치를 굳히기 위한 준비를 서둘렀다.

아그네스의 지도력이 약해지는 것같이 보였기 때문에 베이든 파웰은 어떤 중요한 재조직이 필요하다고 깨달았다.

1918년 2월, 소녀 중 8세에서 12세 사이의 소녀에 대한 운동의 새로운 시각을 강조하는 《소녀 가이드 활동》이라는 책을 출판했다. 소녀들은 자연을 관찰하고, 야외의 기술을 익히면서 더 많은 집 밖의 활동을 즐기도록 부추겼다.

젊고 정열적인 올러브는 베이든 파웰 이상으로 새로운 소녀들을 자극시킬 수 있었다. 가입하고자 하는 사람이 많이 몰려들었고, 3개월 만에 숫자는 3배가 되었다. 1932년까지 영국에는 약 5십만 명의 가이드가 있었으나, 1975년 세계의 가이드 숫자는 6백5십만 명 이상이 되었다.

베이든 파웰은 올러브에게 가이드를 지휘하게 했고, 1918년 29세인 올러브는 가이드 단장이 되었다. 1930년 그녀의 직위는 세계 가이드 단장이 되었고, 그 때부터 1977년 죽을 때까지 베이든 파웰의 부인으로서, 그리고 가이드 단장으로서 세계 곳곳에 알려지게 되었다.

잼버리

스카우트 운동은 전쟁의 와중에도 없어지지 않고 오히려 더 세력이 커져 갔다. 1920년까지 스카우트 단원은 25만 명이었다. 사람들의 태도가 바뀌게 되었다. 즉, 스카우트는 이제 인정받게 되었고 또 신뢰와 존경을 받았다.

베이든 파웰은 어떤 계획을 하고 있었다. 즉, 모든 스카우트 대원을 한자리에 모아 그들의 활동 업적에 관해 대중들의 이목을 집중시켜 보려는 계획이었는데, 그 기회가 온 것이다.

1920년 여름으로 계획된 이 행사는 연설 집회나 전시회 이상이었다. 그는 그것을 잼버리라고 이름을 붙였다.

그의 친구가 "잼버리가 도대체 무슨 뜻이지?" 하고 물었다. 베이든 파웰은 사전을 펼쳐 보였다. 잼버리는 흥청대기, 시끄러운 술잔치, 또는 시끌시끌한 잔치라는 뜻이었다. 그다지 흡족하지는 않았으나 베이든 파웰은 그것으로 그 뜻을 대신하고, 잼버리는 런던의 올림피아에서 1920년 8월 첫째 주에 거행된다고 선전했다.

파월이 하는 일이라면 어떤 것이나 열성적으로 동참한 올러브의 모습. 윤리와 종교적 신앙을 초월하여 서로 이해하고 우정을 나누는 세계 가이드의 총재가 되었다.

스카우트들의 잼버리 대회에서
'다섯 손가락, 한 손'으로
한마음이 되겠다는 뜻으로
뭉친 1만 5천 명의 스카우트.

이 배지들은 스카우트의 성공을
표시한다.
뉴질랜드(1908년 이후),
키프로스(1914년 이후),
도미니카(1929년 이후),
브루나이(1951년 이후).

7월 말까지 21개 국과 12개의 영국 식민지에서
온 8천 명의 스카우트 대원들이 런던으로 모여들
었다. 8일 간 수많은 청중들은 올림피아 전시관이
섬과 산, 그리고 정글로 변하여 그 곳에서 팀별로
전시와 야외극과 연주회가 열리는 것을 보고 모두
그 기술에 감탄했다.
　잼버리 행사 중 마지막 날 밤에 특별한 쇼가
펼쳐졌다.
　그것은 새로 사귄 친구들과 헤어져 고향으로 돌

아가기 전 기억에 남을 만한 놀라운 행사가 베이
든 파웰에 의해 계획된 것이었다.

세계 스카우트 단장 베이든 파웰

8월 7일, 잼버리 대회를 폐회하는 행사의 절정에
서 모든 스카우트들이 자기 나라의 국기를 들고
행진하다가, 갑자기 큰 목소리로 외치는 것을 듣
고 베이든 파웰은 놀랐다.

"그는 오늘 그의 고결한 봉사 정신을 세계의 청소년에게 육체적, 정신적으로 훈련시켜야 된다는 중요성을 깨닫는 모든 사람으로부터 환영받을 것이다."

조지 5세

"우리 스카우트 대원들은 베이든 파웰 경께 경례합니다. 베이든 파웰 경 만세!"

파웰은 군중에게 이렇게 외쳤다.

"스카우트 형제 여러분! 나는 여러분들에게 진지한 선택을 하라고 요구하겠습니다. 세계에서 온 사람들간에는 언어나 신체에서 차이가 있는 것처럼 사고와 감성에서 차이가 납니다. 전쟁은 우리에게 다음과 같은 사실을 가르쳐 주었습니다. 만약 한 나라가 다른 나라에게 힘겨운 것을 강요한다면 잔인한 보복이 가해진다는 것이었습니다. 잼버리는 우리에게 서로 인내하고, 서로 주고받기를 공평히 한다면 사랑과 조화를 이룰 수 있다는 사실을 일깨워 주었습니다. 만약 잼버리의 정신을 여러분들이 가진다면 범세계적인 정신으로 우리 사이의 우정을 발전시킬 수 있고, 그렇게 됨으로써 세계의 평화와 행복, 그리고 인간들 사이의 선의를 개발하는 데 우리가 도움을 줄 수 있을 것입니다. 스카우트 형제 여러분! 내게 대답해 주세요. 여러분들은 이 운동에 진정으로 참여하시렵니까?"

스카우트 대원들은 지체 없이 대답했다.

"예."

질웰 베이든 파웰 경

세계 스카우트 단장으로서 환호와 갈채를 받았던 베이든 파웰이 나이가 많아서 가족들과 함께 조용히 살려고 하는 것은 당연한 일이었다. 이제 그의 나이 63세, 그리고 군대에서 생긴 질병이 도져서 자주 아팠다. 그러나 자신의 일을 잘 이끌 수 있다고 확신하면서 항상 오전 5시에 기상하는 적극적인 생활 태도를 가지고 살았다.

베이든 파웰은 팩스 힐에 아내이자 영원한 동지인 올러브와 가족을 남겨 두고 인도, 스칸디나비아, 미국, 그리고 남아프리카에 있는 스카우트 대원들을 방문하러 수천 마일을 여행했다. 잼버리는 이제 정기적인 행사가 되었다. 1929년에 예정된 세 번째 잼버리는 스카우트 활동이 21년째 되는 해여서 특별한 경축 행사가 있었다. 브라운시 섬에서의 첫번째 캠프에 참석했던 당시 어렸던 소년들로부터 시작하여 스카우트는 이제 1,871,316명의 회원을 가진 세계적인 조직체로 성장하였다.

잼버리에서 베이든 파웰에게 선물 증정이 있을 예정이었다. 부인은 파웰이 무엇을 좋아하느냐는 질문을 받았다. 여러 가지 궁리 끝에 올러브는 새로운 바지 멜빵을 제안했다. 아일랜드 스카우트의 한 무리가 그에게 근사한 초록색 멜빵을 선물했다. 또한 그에게 롤즈로이스 차와 그의 초상화, 그리고 수표도 주었다.

그리고 그의 이름에다가 질웰이라는 칭호를 붙여 주었다. 그래서 그는 질웰 베이든 파웰 경이 되었다.

"나는 세상에서 가장 부유한 사람이다. 왜냐하면, 가장 부유한 사람은 가장 많은 돈을 가진 사람이 아니라, 바라는 것이 적은 사람이라는 사실을 나는 믿고 있기 때문이다."
베이든 파웰, 스카우트 21주년 기념식 연설 중에서

평화를 만드는 사람

베이든 파웰의 딸 히더는 후에 이렇게 말했다. "그 때가 우리 아빠의 전성기였는데…… 그러나 이제는 그렇지 않아. 결코 그렇지 않아. 이제는

'장미, 햇볕, 평화'의 상징인 베이든 파웰의 집인 팩스 힐 정원. 베이든 파웰은 이 곳에서 가족과 함께 즐거운 시간을 보내곤 했다.

72세인 우리 아빠와 마흔밖에 되지 않은 우리 엄마는 9년 동안 세계 일주 여행 2번, 아프리카 와 인도를 여행했다. 영국 내의 여행도 전에 비 해 줄어들었으며, 스위스, 헝가리와 네덜란드에 서 열린 잼버리 참석 등이 고작이었다."

베이든 파웰이 위대하다는 것은 무엇보다도 그 가 고생을 도맡아 한다는 것이다. 그는 신교와 구 교간의 적대시하던 시각을 바꾸었고, 영국 통치의 종지부를 갈망하는 인도인들에게 인종의 장벽을 초월하는 형제로서의 스카우트 운동을 벌였다.

베이든 파웰은 특히 남아프리카에 대해 걱정했 다. 영국 다음으로 좋아했던 그 땅에서 인종 차별 이 스카우트의 기본 원칙을 조롱하고 있음을 보고 슬펐다. 그는 스카우트 운동을 통해 흑인과 백인 그리고 아시아 스카우트들의 통합을 위해 투쟁했 다. 그는 스카우트 조직이 중앙 위원회에서 독립하 여 자기들끼리 해나가겠다는 최후의 결정을 듣고 기쁘지 않았다. 특히 백인들 중 초강경파들이 통합 을 반대했다. 그러나 남아프리카의 보이 스카우트 협회는 인종간의 화합을 위해 국제 모임에 흑인 대표를 보냄으로써 계속 투쟁하며 스카우트 정신 을 고수했다.

금지된 스카우트 활동

1909년에 독일에 스카우트 운동이 전래되었고, 그 때에 《소년을 위한 스카우트 활동》이라는 책은 여러 독일 젊은이 단체에서 가장 인기 있는 책 중 의 하나였다.

그러나 1933년 나치 수상 아돌프 히틀러는 '히틀 러 젊은이 조직'을 제외한 모든 젊은이 조직을 철 폐하라고 조직의 대표자들에게 명령했다. 독일 정 부는 이 운동 조직과 영국의 보이 스카우트간에 상호 방문과 공동 협조 체제를 만들려고 많은 노 력을 했다. 베이든 파웰은 런던 소재 독일 대사관 을 방문하여 스카우트 운동에 대해 설명했다. 그러 나 아무 소용이 없었다.

그는 심히 걱정을 하며 돌아왔다. 독일 정부는 하이킹, 캠핑, 조직의 충성심, 그리고 국가적인 자

존심 등과 같은 스카우트 활동의 기본적인 요소는
정치적인 사상의 주입과 인종간의 무절제함으로
세상을 바꾸어 놓는다고 생각했다.

똑같은 상황이 이탈리아에서도 펼쳐졌다. 이탈리
아는 1912년에 처음 스카우트 단이 발족될 때 시
작한 세계 스카우트 운동의 설립자격인 회원국이
었다. 그러나 번창하던 스카우트 운동은 1927년 이
탈리아의 지도자 무솔리니에 의해 금지당했다.

그는 그 운동을 바꾸어 자신의 세력 아래에 있
는 자신을 지지하는 젊은이 조직으로 대체하려 했
다. 그 조직의 이름은 '발리라', 그리고 '아방가르디
스티'였다.

베이든 파웰은 이탈리아로 가서 무솔리니와 논
의했는데, 무솔리니는 베이든 파웰에게 자신의 친
위 조직인 '발리라'는 스카우트의 발전된 조직이라
고 우겨 댔다.

무솔리니의 금지령은 철회되지 않았다. 그러나
이탈리아에서도 역시 스카우트의 정신은 살아 있
었는데, 스카우트 정신을 알고 있는 아버지와 형들

은 좋은 세상이 오면 새로운 세대에게 물려 주기
위해 그들의 제복을 숨겨 놓았다.

마지막 잼버리

세계 스카우트 단장인 베이든 파웰은 정열적으
로 일해 왔으나, 1934년 중한 병이 도져서 앓아눕
게 되었다. 그는 위험한 수술을 받고, 겨우 목숨을
건졌으나 77세의 나이로 여전히 투병하고 있었다.
1935년, 1936년, 그리고 1937년에 그와 부인 올러
브는 오스트레일리아, 캐나다, 남아프리카, 그리고
인도를 여행했다.

그러나 마침내 작별이라는 말을 베이든 파웰은
연설중에 했다. 네덜란드에서의 다섯 번째 세계 잼
버리(1937년)가 그의 최후의 잼버리가 될 것임을
알고 있었던 것 같았다.

네덜란드 스카우트 단은 30개 국 이상의 나라들
에게 3만 명의 스카우트 대원을 초청했다.

마지막 날, 자기 나라 고유의 민속 의상을 입은
스카우트들이 깃발을 들고 훌륭한 행진을 하는 것
을 베이든 파웰은 지켜 보았다. 각 팀은 그들 나라
고유의 문화와 전통을 자랑스럽게 여겼다.

파리 방문중 베이든 파웰이
프랑스 스카우트로부터 열광적
환영을 받고 있다. 1920년대와
1930년대, 베이든 파웰과
올러브는 스카우트와
가이드들의 집회 및 문제
해결을 위해 수천 마일을
여행했다. 제 2 차 세계 대전
이전에, 베이든 파웰은 스카우트
운동이 세계 평화를 위해
노력해야 한다고 생각했다.

작별

그는 비록 늙었고 무력했지만 경건하고 조용한 태도로 마지막 연설을 했다.

"여러분과 이제 작별할 시간이 온 것 같습니다. 이 세계에서 다시는 나를 만나지 못할 것입니다. 이미 내 나이는 80세이고, 이제는 죽음의 문턱에 서 있습니다. 여기에 계시는 여러분들은 이제 인생을 본격적으로 시작하는 분들입니다. 나는 여러분들의 인생이 행복하고, 성공적이기를 원합니다. 여러분들은 여러분들의 위치가 어디든지간에 그리고 누구든지간에 평생 동안 스카우트 규칙을 성실히 지키고, 최선을 다함으로써 여러분들의 인생을 행복하고, 성공적으로 살 수 있습니다. 여러분들이 또한 제복에 붙어 있는 잼버리 대회의 배지를 간직하기를 원합니다. 그것은 여러분들이 여기 이 캠프에서 보낸 행복한 시간들을 생각나게 해 줄 것입니다. 그것은 평생 동안 여러분들의 인생의 안내자로서 스카우트의 10가지 규칙을 일깨워 줄 것입니다. 그리고 그것은 여러분들에게 우정어린 손을 잡았던 많은 사람들과 또한 이웃에게 신의 평화가 깃들도록 선한 일을 해 온 많은 사람들을 생각나게 할 것입니다. 안녕히 계십시오. 하늘의 은총이 모두에게 깃들기를 원합니다."

스카우트 단장인 베이든 파웰과 세계 가이드 단장인 올러브가 대원들의 환영에 답례하고 있다.

은혼식

1937년 10월 30일, 올러브와 베이든 파웰은 결혼 25주년을 맞이하였다. 많은 사람들이 은혼식 축하 선물을 보내 왔다. 그 중 세계의 스카우트, 가이드, 커브 스카우트(유년단원), 브라우니(걸 스카우트의 유녀단원)으로부터 돈을 받았다.

그는 이 돈으로 아프리카 대륙 케냐 산 근처의 니에리라는 곳에 있는 집을 사기로 결정했다.

그들은 그 집을 '팩스 투'라고 이름을 지었는데 그들의 햄프셔에 있는 팩스 힐 집이 생각나서 '또 다른 팩스'라는 뜻인 '팩스 투'라고 하게 되었다. 또 다른 의미로는 스와힐리 말로 '팩스 투'는 '완결

캠핑은 초창기부터 세계
스카우트 훈련의 가장 매력적인
것이었다.

스카우트나 가이드 캠프에서
형성된 우정은 특별한 것이다.
1936년 남아프리카 캠프에서
로버트 베이든 파웰은 이렇게
연설했다. "여러분, 모두가
친구가 되어, 나중에 성장해서도
친구가 되기를 바랍니다."

된'이라는 뜻이기도 했다.

그 정도의 나이라면 기력이 쇠해져서 게을러지는 것이 보통이었으나, 베이든 파웰은 그렇지 않았다. 그는 이 곳에서 부인과 조용히 지내면서 더 많은 여가 활동을 했다. 그는 작문과 그림그리기로 시간을 보냈는데 세 권의 책을 출판할 만큼 많은 글을 썼다.

비문

그러나 베이든 파웰은 점점 쇠약해져 갔다.

그는 84번째 생일을 불과 몇 주 앞둔 1941년 1월 8일에 '팩스 투'에서 조용히 눈을 감았다.

많은 사람들이 런던의 웨스트민스터 사원 묘지에 묻자는 주장도 있었으나, 그는 소원대로 니에리

오늘날 가이드와 스카우트는
물자 절약과 자연 보호의
선구자가 되었다.
나무를 심고, 쓰레기를 재생해서
사용하고, 세계의 자연을 위한
기금을 마련하는 등 지구를
보존하기 위해 그들은 노력한다.

에 있는 작은 묘지에 묻혔다.

조그만 비석에는 그의 이름과 '집에 돌아갔다'라
는 스카우트의 사인을 넣었다.

세계 스카우트 단장이라는 칭호도 그와 함께 사
라졌다. 유명하고 인기 있는 스카우트 지도자는 많
이 있었으나 베이든 파웰만은 못했다.

인격적이고 생활의 철저함을 가진 베이든 파웰
은 모든 스카우트 대원들에게 감사와 작별의 메시
지를 남겨 놓았었다.

'다른 사람에게 행복을 나눠 줌으로써 행복을 얻
기를 바랍니다. 그리고 여러분들이 세상을 알았
던 것보다는 조금 더 좋게 이 세상을 만들고 세
상을 떠나려고 노력하세요.'

"나의 사랑하는 스카우트
형제들이여! 나는 이
길을 다시 지나가지 못할
것이다. 그러나 여기
모인 모두가 오늘 밤을
기억하고, 고향으로
돌아가서는 형제애를
힘써 전파하고 실천하여,
세상에 평화와 정의가
넘치도록 하는 것이
여러분의 임무라는
사실을 기억하기
바란다."
베이든 파웰, 1934년
오스트레일리아의 캠프에서
한 연설 중에서

슬픈 고향 방문

베이든 파웰의 운명 후, 올러브는 케냐 여인들을
돕는 일을 하면서 남편과의 사별의 슬픔을 달래려
고 하였다. 그 때 전쟁으로 폐허가 된 런던에서 편
지가 왔는데, 영국으로 돌아오라는 요청이었다.
1939년, 제2차 세계 대전이 일어났다. 《가이더》
잡지의 편집자가 올러브에게 '고향에 돌아와서, 가
이드가 전쟁중에 무엇을 할 것인가'에 대해 궁리해
달라는 요청을 했던 것이다.

그래서 올러브는 '팩스 투'와 그 곳의 일들을 정
리하고 전쟁중인 런던으로 향했다.

그녀는 베이든 파웰과 마찬가지로 세계 평화를
희망했으므로 스카우트와 가이드 단체로 하여금
제2차 세계 대전의 상처를 치유하는 데 노력하자
고 설득했다.

1945년 이윽고 평화가 선포되었고, 그녀는 프랑
스, 룩셈부르크, 이탈리아를 방문했다. 그녀는 미래
의 룩셈부르크 수상이 될 로버트 샤프너를 만났다.

그는 올러브에게 정치범 수용소에서 공포를 극
복하는 데 스카우트 정신이 내면의 힘이 되었다고
고백했다.

올러브의 설득으로 스카우트 활동이 금지되었던
그런 나라에서 스카우트 운동이 부흥되기 시작했
다. 금지되었던 독일과 오스트리아에서 스카우트

"행복을 얻는
참다운 방법은 다른
사람에게 행복을 나누어
줌으로써 자신도
행복해지는 것입니다."
베이든 파웰,
스카우트들에게 한 작별
메시지 중에서

활동이 재개되었고, 이탈리아에서도 역시 스카우트 운동이 재건되었다.

1951년 오스트리아에서 열린 제 7 차 세계 잼버리 대회에서 이탈리아 인, 일본인, 특히 독일인들이 다시 국제 스카우트 모임에 참여하여 열렬한 환영을 받았다.

전쟁이 끝난 후, 스카우트 회원의 숫자는 급속히 늘어났다. 2년 만에 그 수가 2백만 명 증가했다. 1948년 3,306,000명, 1950년 5,160,147명이었다.

미국의 보이 스카우트 운동은 변호사이며 어린이 권리 운동가인 제임스 웨스트의 지도로 착실히 성장했다.

1957년, 베이든 파웰의 탄생 100주년 기념식에 세계 여러 나라에서 많은 사람들이 참가하였고, 그 광경이 세계에 중계되었다.

그 당시 서구는 많은 젊은이들이 그들의 부모와 조부모로부터 물려받은 전통적 사고를 재검토하는 그런 시기였다. 갑자기 그들은 경제적 풍요와 많은 시간적 여가를 가졌다. 그래서 여가를 유용하게 이용하는 방법을 생각하기 시작했다. 텔레비전은 인도와 아프리카로부터 온 소식과 그림을 유럽의 가정에 전달해 주었다. 우정의 세계적인 연대의 필요성, 평화를 위한 작업에 깊은 관심을 가졌던 베이든 파웰의 이상들이 그가 살아 있을 때보다도 더 필요한 것 같았다.

더 나은 세계를 위한 일

지구의 자원은 무한한 것이 아니라 한계가 있는 것이다. 자연을 아무렇게나 다루어 자연이 파괴되면 공해로 인해 세계 모든 사람들에게 미래는 절망적일 수밖에 없다. 그래서 스카우트 운동은 자연을 보호하는 일에 앞장서야 했다.

스카우트 지도자들은 조직이 현대화될 필요가 있다고 깨달았다. 스카우트 창시자가 생존해 있었을 때에는 스카우트 연맹과 가이드 연맹은 공히 베이든 파웰의 통제 아래에 있었다. 베이든 파웰은 모든 결정 사항들이 자신으로부터 나와야 한다고 믿었기 때문에 스카우트 운동의 성장은 느리고 힘

스카우트와 가이드 운동은 이제 실제적으로 국제화되었으며, 그 운동은 전보다 더욱더 급속히 발전하고 있다.

이 들었었다. 몇몇 나이가 많은 대원들은 베이든 파웰의 이상에 문제점이 있을지라도 그것이 잊혀지거나 변하는 데 대해 우려를 표시했다. 그러나 올러브는 스카우트 운동은 변화되어야 한다고 생각했다. '과거에 대한 집착의 모자를 벗어 버리고, 미래를 향해 옷소매를 걷어올리자.' 이것이 그녀의 슬로건이었다. 그녀는 엄격하고 낡은 제도를 바꾸어 현실에 맞게 해야 한다고 생각했다.

1920년 10월 11일, 보이 스카우트 세계 본부가 결성되어 런던에서 시작되었으나, 보이 스카우트 운동이 영국에만 국한되는 것을 막기 위해서 1958년 1월 1일 캐나다의 오타와로 옮겨 갔고, 1968년 5월 1일 스위스의 제네바로 또 옮겨 갔다.

1959년 7월, 제 3 세계에서는 처음으로 필리핀에서 세계 잼버리 대회가 열렸다. 44개국에서 1만 2천 명의 소년들이 참가했다.

그 해 동양에서는 첫번째로 거행되는 국제 회의

불피우고, 요리하고 집을 짓는
것부터 독도법까지 훈련하는
스카우트 캠핑은 허약한 현대의
젊은이에게 꼭 필요한 것이다.

가 인도 뉴델리에서 열렸고, 거기에 인도 수상 네
루가 참석했다.

　해를 거듭할수록 스카우트 운동의 영향은 더 국
제적이 되었다. 1931년 한 명의 일본인이 세계 위
원회의 위원이 되었고, 또 1951년에는 아랍 인이
위원으로 선출되었고, 10년 후인 1961년 처음으로
아프리카 출신도 그 위원회의 위원이 되었다.

현대적 관심

　1970년대와 1980년대 사이에 생태학자들은 지구
의 생태 균형이 점점 깨어져 간다고 경고를 하였다.
많은 나라에서 온 스카우트 대원들은 산길을 청소
하고, 자연을 보호하고, 나무를 심고, 새집을 만들
고, 보호 작업을 위해 돈도 저축했다.

　올러브는 스카우트를 완전히 재조직하든지, 아니
면 새 이름으로 바꾸는 것 같은 조그만 변화도 상

관하지 않고 이 모든 발전 과정을 보고 환영했다. 그리고 새로운 이름을 '스카우트 운동 세계 연맹'이라고 지었다.

1977년 올러브는 운명했다. 그 때 그녀의 나이는 88세였다. 그 해 특별한 사건으로는 전임 스카우트 강사였던 닐 암스트롱이 달나라에 스카우트 배지를 가져갔다. 베이든 파웰의 인류를 사랑하고 젊은 이들을 변화시키겠다는 위대한 이상이 열매를 맺어서 이제 1천 3백만 명 이상의 회원을 가진 세계적인 조직이 되었다.

올러브가 죽은 이후에도 그 운동은 계속되었다. 올러브 여사의 특별한 관심을 받은 '가이드'는 이제 112개 국의 750만 명의 회원을 가지게 되었고, 그 숫자는 계속 증가하고 있다.

어떤 다른 조직도 마찬가지겠지만 몇십 년을 거쳐 오면서 보이 스카우트나 가이드도 해결해야 할 몇 가지 문제점이 있었다. 스카우트의 제복이 현대화되어야 하는가? 스카우트 조직과 가이드 조직이 통합되어야 하는가? 서양의 스카우트 조직들이 어떻게 저개발 국가를 도울까? 이런 문제들은 윤리와 종교적 신앙의 차이 때문에 극복하기 힘들었다. 다른 사람에게 스카우트 언약과 규칙이 과연 받아들여질 수 있을까 하는 것도 문제였다.

베이든 파웰! 고맙습니다

로버트 베이든 파웰 경의 높은 이상과 인류에 대한 사랑, 또 유머 감각에 의해 전세계의 수백만 명의 어린이들의 생활이 바뀌어졌다. 미래가 절망적으로 보일 수도 있지만 스카우트와 가이드 조직의 회원의 숫자는 여전히 증가하고 있다. 그 운동은 조직의 창설자로부터 물려받은 긍정적이고 혁신적인 사상과 태도로 21세기를 밝게 이끌어 나가리라고 확신한다.

"나의 생애는 가정에서 뿐만 아니라 세계적으로도 대단히 행복한 것이었다.
80년의 나의 생애를 되돌아보고, 인생이란 얼마나 짧은 것이며, 사회적 명성이나 물질적 풍요가 행복과는 거리가 멀다는 것을 깨달았다. 가장 가치 있는 일은 타인들의 삶에 행복을 나누어 주고 또 그렇게 하고자 애쓰는 것이다."

일반 대중에게 한 베이든 파웰의 작별 인사 중에서

스카우트 규율

스카우트는 진실하다.
스카우트는 충성한다.
스카우트는 남을 돕고 유익한 일을 한다.
스카우트는 우애하며 전세계 사람을 형제로 여긴다.
스카우트는 어떠한 어려움을 당해도 용기를 가진다.
스카우트는 시간을 잘 이용하고 소유물과 재산에 대해 조심한다.
스카우트는 자신과 타인들을 존경한다.

스카우트의 세 가지 신념

정신적인 신념—물질을 초월하여 생활의 정신적 가치를 추구한다.
사회적인 신념—사회 발전에 이바지하고, 다른 사람의 인격과 자연을 존중하며 이웃과 세계의 평화를 위해 서로 이해하고 협조한다.
개인적인 신념—책임감을 개발하고, 좀더 나은 자신을 위해 노력한다.

● 연 표

베이든 파웰

1857	2월 22일, 로버트 베이든 파웰이 런던에서 출생.
1870	베이든 파웰이 서리에 있는 차터하우스에서 공부함.
1876	베이든 파웰이 13번째 경기병(영국군에서 일급 기병 연대)으로 인도에서 복무를 시작.
1884	베이든 파웰이 아프리카에서 영국군의 일원으로 복무함.
1897	대령이 된 베이든 파웰이 인도로 돌아가서 부하를 훈련시키는 새로운 훈련법을 개발함. 남아프리카에 파견되어 보어 족과의 전쟁에 참여함.
1899	마페킹 마을이 7개월 동안 포위 공격을 받을 때 베이든 파웰이 지휘하여 마을을 방어함. 이로 인해 영국 국민의 영웅이 됨.
1901	'준비하라'는 표어를 가진 기병대 경찰인 남아프리카 경찰대를 조직함.
1903	베이든 파웰이 기병대 검열장이 되어 영국으로 돌아옴.
1907	첫번째 스카우트 캠프가 브라운시 섬에서 개최됨.
1908	《소년을 위한 스카우트 활동》이란 책이 출판되고, 두 번째 스카우트 캠프가 개최됨.
1909	크리스틸 궁전 집회가 열리고, 베이든 파웰이 국왕으로부터 로버트 베이든 파웰 경이란 작위를 받음.
1910	스카우트 조직에 헌신하기 위해 군대에서 퇴역함.
1912	55세인 베이든 파웰이 23세의 올러브 소암즈와 결혼함.
1918	올러브가 세계 가이드 단장에 선출됨.
1919	햄프셔에 있는 '팩스 힐'로 이사함.
1920	첫번째 세계 잼버리 대회가 런던의 올림피아에서 개최되고, 베이든 파웰이 세계 스카우트 단장이 됨.
1924	두 번째 세계 잼버리 대회가 덴마크에서 개최됨.
1929	세 번째 세계 잼버리 대회가 열렸고, 베이든 파웰이 질웰 베이든 파웰 경이란 칭호를 받음.
1930	베이든 파웰이 서인도 제도·뉴욕·뉴질랜드·오스트레일리아, 그리고 남아프리카를 방문함.
1933	네 번째 세계 잼버리 대회가 헝가리에서 개최됨.
1934	77세의 베이든 파웰이 위험한 수술을 받았으나, 회복된 후 오스트레일리아, 미국, 그리고 다른 많은 지역을 방문함.

1937	5번째 잼버리 대회가 개최됨. 베이든 파웰이 스카우트 운동을 통해 세계 평화와 인류를 위해 공헌한 공로로 카네기 상을 수상함.
1938	베이든 파웰이 '팩스 투'에 있는 아프리카 집에서 말년을 보냄.
1939	6월 조사에서, 47개 국에 3,305,149명의 스카우트가 있음이 확인됨.
1941	1월 8일, 로버트 베이든 파웰이 '팩스 투'에서 세상을 떠남.
1971	올러브 소암즈가 88세로 운명함.
1990 년대	150개 국 이상에서 7백5십만 명의 가이드와 1천6백만 명의 스카우트가 활동하고 있으며, 그 숫자는 계속 증가하고 있음.

세계위인전 34

베이든 파웰

■발행처/중앙교육연구원㈜ : 서울특별시 종로구 연지동 1-30
대표전화 : 563-9090, 735-9600
등록번호 : 제2-178호
■발행인 / 장평순
■지은이 / 줄리아 코트니
■엮은이 / 중앙교육연구원㈜ 편집부
■인쇄처 / 고려서적㈜
■제본처 / 태성제책㈜
■첫판 인쇄일 / 1992년 10월 15일
■첫판 6쇄 발행일 / 1996년 1월 20일
■ISBN 89-21-40083-4
ISBN 89-21-00007-0(세트)